A NATUREZA DA MORDIDA CARLA MADEIRA

A NATUREZA DA MORDIDA
CARLA MADEIRA

11ª edição

EDITORA RECORD
RIO DE JANEIRO • SÃO PAULO

2025

CIP-BRASIL. CATALOGAÇÃO NA PUBLICAÇÃO
SINDICATO NACIONAL DOS EDITORES DE LIVROS, RJ

M153n   Madeira, Carla
           A natureza da mordida / Carla Madeira. - 11. ed. - Rio de Janeiro: Record, 2025.

           ISBN 978-65-5587-223-1

           1. Romance brasileiro. I. Título.

21-69722   CDD: 869.3
                                               CDU: 82-31(81)

Leandra Felix da Cruz Candido - Bibliotecária - CRB-7/6135

Copyright © Carla Madeira, 2018, 2022

Todos os direitos reservados. Proibida a reprodução, armazenamento ou transmissão de partes deste livro, através de quaisquer meios, sem prévia autorização por escrito.

Texto revisado segundo o Acordo Ortográfico da Língua Portuguesa de 1990.

Direitos exclusivos desta edição reservados pela
EDITORA RECORD LTDA.
Rua Argentina, 171 – Rio de Janeiro, RJ – 20921-380 – Tel.: (21) 2585-2000.

Impresso no Brasil

ISBN 978-65-5587-223-1

Seja um leitor preferencial Record.
Cadastre-se em www.record.com.br
e receba informações sobre nossos
lançamentos e nossas promoções.

Atendimento e venda direta ao leitor:
sac@record.com.br

Para Ana, João e Zinho.

*A realidade nos escapa
como um peixe que arrancamos da água com as mãos,
enquanto nos agarramos a ela como náufragos.*

Anotações de Biá

       Eu vi Olívia. Ela estava na última mesa, depois de algumas outras mesas ocupadas, sozinha, escrevendo. Em volta, um silêncio que as mesas barulhentas, os carros que passavam, as pessoas que corriam não podiam interromper. Ela escrevia sem fazer a menor ideia de que aquele era o meu lugar. Era onde eu me sentia melhor, era meu por obrigação de me sentir melhor. Onde eu me esquecia menos. Lembrar se tornou prioridade absoluta. Pensei: vou pedir que ela me devolva, ou que me ceda, para não ser agressiva, o lugar onde me sinto melhor. Tenho uma recomendação expressa de meu médico de me sentir melhor sempre que possível. E seria possível se ela saísse de lá e me deixasse sentar e folhear os livros do sebo, que tão bem me fazem quando me lembram de que sempre haverá outra realidade para onde me retirar. Pensei em ir até ela e pedir gentilmente que saísse, mas vi que se entregava consumida a uma escrita sem pausas.

Eu vi Olívia. Meu Deus, como eu vi Olívia! Cabelo ruivo, olhos verdes, linda, linda, desconcertantemente linda e atenta a alguma coisa que borbulhava dentro dela. Talvez linda porque imersa em borbulhas. Não, definitivamente não apenas. Linda pelos olhos verdes, o cabelo ruivo e os dentes sem sombras. Linda pela larga atmosfera triste que emoldurava seus gestos. Vestia verde-oliva. Olívia e oliva combinavam. Ela sabia. Respirava como quem sabia. Ocorreu-me que ela seria capaz de coisas improváveis se eu interrompesse a frase que escrevia obstinada, fazendo com suas ideias o que alfinetes fazem com balões. Acho. Foi bom não ter certeza. Só avancei porque minhas certezas se evaporaram, eu não as tenho desde que envelheci. Continuei indo em sua direção, no meu passo de velha senhora. Eu já estava quase chegando, quase atravessando o silêncio de Olívia, quando ela parou e chorou. Fez com que eu parasse também, não podia pedir a alguém chorando que saísse de onde estava para que eu me sentisse melhor. Ela enxugou com os punhos as lágrimas, que voltavam a escorrer desobedientes. Punhos oliva secando lágrimas transparentes, tudo enchia meus olhos ávidos de literatura. Ela relia o que havia escrito, chorava, chorava, e eu suspeitava que, por um segundo, um miserável segundo, também ria. Olívia chorava e ria. E eu fiquei ali, na fronteira entre o barulho e o silêncio, vendo aquela menina, seguramente uma menina se comparada a mim, suspender meu próprio caos como se fosse mágica.

Avancei.

Espantosamente segura de que faria aquilo, me apresentei: Oi. Oi e ponto. Oi e mais nada. Ela me olhou, sem saber se deveria me reconhecer, e disse: Oi. Oi e ponto. Oi e daí? Daí que eu tinha as mãos apoiadas na cadeira à sua frente, e nenhuma intenção de me afastar. Eu estava decidida a me sentar naquele lugar... toda uma vida me empurrando, o que não era pouco. Ela com punhos molhados, supus, atordoada com minha intromissão, depois de uma resistência que deveria ter me deixado sem lugar, me convidou a sentar. Pobre menina, não escapou da polidez que tanto nos obriga. Ou talvez... não tenha escapado do meu desamparo, assim como não pude escapar ao dela.

Aceitei o convite. E depois de me instalar com a lentidão dos meus anos, lembrei-me de que chorar e rir ao mesmo tempo... às vezes acontece comigo. Subitamente, avisto pequenas ilhas de alegria num mar de dor. As tais ilhas aparecem como quem diz que alguma coisa, apesar de tudo, foi salva. São alegrias das quais não quero me desfazer. Fossem só dor nossas lembranças, nos desapegaríamos. Mas, entranhadas nelas, resistem as pequeninas e ensolaradas ilhas sabotando todo um mar de motivos para esquecer.

Enquanto ela guardava na bolsa seus papéis, vi que seus cílios ainda gotejavam e me recusei a ignorar o que via. Perguntei seu nome.

Olívia.

Olívia, o que você não tem mais que te entristece tanto? Ela parou o que estava fazendo e me olhou. Não vou me esquecer daqueles olhos desmoronando lentamente. Que tipo de estranha era eu afinal?

Achei tão bonito uma pessoa se chamar Olívia usando um casaco cor de oliva. Naquele momento, gostaria de me chamar Celeste e estar usando um casaco azul, para que Olívia também já não pudesse mais se desviar de mim.

Depois, caiu sobre nós um demorado silêncio difícil de tolerar. As mãos, a boca, os olhos ficaram sem lugar. Tudo ficou sem lugar. Dei para me sentir inadequada quando falo com um estranho, fico com a sensação de que falei demais ou de que, fatalmente, o farei. É que diante de um desconhecido ainda posso ser o que gostaria, e não estou em condições de perder essa oportunidade. Achei que ela se levantaria e iria embora. De posse do meu lugar, eu folhearia os livros do sebo e mergulharia em seus trechos, ignorando a correnteza brutal do tempo. Mas Olívia não se foi. Ficou e, para minha surpresa, contou pela primeira vez sua triste história.

1º encontro

A banca de revista do Rodolfo ficava na esquina de uma avenida movimentada de Belo Horizonte, que aos domingos tinha uma das pistas impedida para os carros e liberada para as pessoas. Ali elas caminhavam, andavam de bicicleta, empurravam carrinhos de bebê, faziam uma pequena orla sem mar. Somente aos domingos, Rodolfo entrava no clima e espalhava umas mesinhas com sombrinhas no passeio largo, abria uma pequena estante com livros usados, edições antigas, raras, a maioria de clássicos da literatura. Servia café e pão de queijo quente, receita de família, assado na hora em um forno improvisado ao lado da banca, irresistível. Muitas árvores em volta e uma boa brisa criavam um ambiente perfeito para se passar horas inúteis de um domingo. Alguns passavam por ali, compravam jornais e revistas e iam embora. Outros se sentavam nas mesas e ficavam ao ar livre, entretidos em suas leituras. Tinham ainda os que pagavam um pequeno couvert para folhear os jornais do dia, as revistas da semana ou do mês.

Biá era uma frequentadora assídua da banca do Rodolfo, exclusivamente da parte do sebo. Segundo ela, as notícias não mereciam mais sua atenção.

— Quanta porcaria junta! Isso só pode deformar uma pessoa, e tem deformado. Você tem parte nisso, viu, Rodolfo? Não pense que será inocentado. Não sei mais se tudo isso é a prova ou o motivo de estarmos produzindo uma humanidade tão bestial! Se eu fosse você, Rodolfo, ampliava o sebo e acabava com a banca. *Crime e castigo* no sebo nos fará muito mais bem do que crimes e castigos nos jornais — dizia ela, seguindo para sua mesa de todo domingo, exceto quando chovia.

Às vezes Rodolfo, entretido com outros clientes, se distraía, e alguém se sentava no lugar de Biá, cujo nome verdadeiro, vim depois a saber, era Emma. Foi exatamente o que aconteceu no dia em que a conheci. Por sorte, sentei-me em sua mesa, e ela veio falar comigo.

Estava bem-arrumada, banho tomado, cabelo liso chanel na altura da orelha, partido ao meio, com dois grampos segurando os fios para que não incomodassem os olhos. Olhos grandes, curiosos e doces, levemente puxados. Uma boneca japonesa me veio à cabeça ao observar seus traços. Pareceu-me vaidosa, daquelas que passam creme após o banho quente e se vestem cuidadosamente.

Uma semana antes, vivi meu último encontro com Rita e ainda não sabia o que fazer com meu desespero. Tentava pôr no papel o que nos aconteceu, na esperança de tirar de mim a intensidade do que sentia. Foi quando ela apareceu.

Parei de escrever, assaltada pela presença daquela senhora que se prostrou diante de mim, decidida a se sentar onde eu estava. Tentei ignorá-la, mas ela não arredou pé. Sem forças para reagir àquela intromissão — ela era uma senhora de idade —, propus que se sentasse, enquanto guardava minhas coisas para ir embora. Eu não conseguia parar de chorar... Foi quando ela me atravessou com uma daquelas perguntas que valem mais do que todas as respostas:

— O que você não tem mais que te entristece tanto?

O jeito como ela se calou para me ouvir foi como dois braços abertos na minha direção. Quando me dei conta, contava, sem cortes, minha vida para uma estranha, com a sensação de que me faltavam amigos. Falei de mim como nunca falara antes. Ordenei, mastiguei, enfrentei toda a minha desordem. Quando terminei, esperei que ela dissesse alguma coisa... mas não podia imaginar que seria tanto o que começava ali.

— Vejo seu rosto arranhado. Pequenos riscos vermelhos na pele e no branco dos olhos. É o sal das lágrimas... e imagino seu coração lutando com o que não alcança. Só as coisas desimportantes deveriam nos ocupar, menina Olívia. Sei que você é uma mulher, mas não posso deixar de notar o tempo que tem pela frente. Ninguém nunca nos ensina a rir de nossa falta de saída. E o que mais podemos fazer? Chorar pouco resolve e muito deforma. Ainda assim, engolimos a chave e choramos entalados. Quem dera eu mesma fosse capaz de fazer o que digo. Ah... não sou! Olhe as manchetes que o Rodolfo insiste em exibir, quanto desânimo sabem me dar. Quanta angústia produzem ao tocar minha pele flácida. Passei a vida querendo ter outras notícias, acho até que lutei por elas no meu quintal. Agora estou cansada e, principalmente, velha, enquanto a realidade está cada dia mais insuperável. Não tenho mais tempo para essa concretude, não verei nada se resolver.

Desculpe meu desesperar, Olívia. Somos tão recentes uma para outra... A alma não se rende ao desespero sem haver esgotado todas as ilusões. Estou impaciente com tanto ruído. Antes, vivia-se onde se vivia; agora, estamos todos desterrados compartilhando padecimentos longínquos. Já não bastasse sermos um pedaço infernal de nós mesmos, agora temos de abarcar, impotentes, as dores de todo um mundo. Seria bom se alguém gritasse acima de todas as vozes: é por ali! Mas creio ser sintoma de minha decrepitude desejar um salvador. Ele não virá! Nós é que iremos, sabe-se lá pra onde... nós iremos.

Biá ajeitou o corpo na cadeira, conferiu os grampos no cabelo e continuou:

— Eu tenho um vizinho, um homem ríspido, que teve coragem de pintar o chão do prédio de branco, bem na área onde as crianças brincam, e agora não para de infernizar as mães, a faxineira, a meninada, porque o chão vive sujo. Lá do meu apartamento, escuto seus berros e absurdos. Um homem que berra não conta com minha boa vontade. Hoje eu o peguei à queima-roupa, olho no olho tenso, e perguntei: "Aonde o senhor vai com tanto poder quando morrer?" Eu esperava que alguma veia estufasse em seu pescoço antes que ele começasse a rosnar. Mas nada! Ficou mudo. O sujeito nunca parou para pensar que, seja lá aonde for quando morrer, vai sozinho, sem ninguém para servi-lo ou para carregar seus pertences, sem nenhum tostão para gorjetas, sem poder comprar a paciência alheia. Deveria se curvar um pouco diante dos mistérios que nos aguardam. Nosso destino é incerto, Olívia. Nosso corpo perecível, como a comida fora da geladeira. Desculpe-me, tenho pensado muito na morte... inevitável diante do tempo corrido. Adiamos a ideia desse confronto o quanto podemos, mas só os mortos possuem todo o tempo do mundo e nenhuma consideração com os vivos. Não nos dão uma miserável pista do que devemos levar dessa para a melhor, uma vez que vamos sem as mãos. Talvez os mortos estejam mortos. Precisamos considerar esta possibilidade que tanto nos assusta: a morte pode mesmo ser o fim. E eu já não luto para introduzir no tempo de cada dia eternidades. Eu já não luto por coisa alguma. Sou uma avestruz deprimida. Tenho meu pequeno lote, onde enterro minha cabeça e no escuro do buraco me esqueço de tudo. Você acredita no escuro do buraco? — perguntou, afastando um pouco o corpo e investigando se eu acompanhava atenta. — Acredita em um lugar absolutamente escuro, onde nada do que vemos pudéssemos ver? — E, sem esperar minha resposta, concluiu, aflita, para si mesma: — Quem me dera... não consigo apagar as luzes. É tão claro o que não tenho mais.

E turvando subitamente o semblante perdeu a excitação na voz.

— Moro bem aqui, nesta zona sul ensolarada. Meu lote não é tão pequeno assim. Estudei a vida inteira, literatura e psicanálise, duas coisas, se é que são duas mesmo. Depois... vivi uma tristeza sem culpados. Não pude culpar ninguém. Quando há um culpado, pelo menos existe um motivo para se levantar da cama. No meu caso, não havia. Hoje me vejo de cabeça enterrada no chão, no alto da zona sul cartesiana, região que, por sinal, limitou muito minha imaginação. Pouca literatura rende uma vida muito higienizada. Quem pode acreditar no sofrimento cercado de conforto? Quem pode acreditar na literatura sem sofrimento?

Já um pouco cansada, notei, parou para observar o céu, o vento nas árvores, depois olhou sem pressa para os meus cabelos, escaneou meu rosto, minhas mãos, e continuou com os olhos levemente molhados:

— Sua história, a que você me contou, tem a leveza de uma pipa que ganha o céu, flutua nas alturas e... a queda vertiginosa. O som seco do que se despedaça. Depois dele, a todo custo, queremos negar o céu, mas já não podemos esquecê-lo. É o céu que não esquecemos, Olívia. É bonito e é triste também. "Um homem com uma dor é muito mais elegante..." — cantarolou baixinho. —

A alegria é ruidosa, escancarada, até o rabo do cachorro sabe abana-lizar — disse, dividindo no ar a palavra inventada para me fazer ver seus sentidos. Um gesto que vi se repetir muitas outras vezes.

Sua história dói em mim, Olívia, a minha doerá em você, e enquanto isso acontecer podemos ter esperança. Caso contrário... o que diz a poesia? Seria o deserto absoluto. O oceano absoluto. Por preconceito ou pura pirraça, talvez, a tristeza espalhafatosa tem pouco crédito comigo. Penso que a verdadeira tristeza nos deixa sem palavras. Nos tira o volume. É uma goteira pingando lenta em um fim de tarde avermelhado. Uma caneta deslizando no papel sua tinta dolorosa. O homem triste carrega discreto a lente angustiada do anoitecer e a porosidade das folhas secas no chão. Tem a insônia da madrugada. A solidão da plataforma vazia que vê o trem se afastar. Um dia fui uma plataforma vazia, e sou, para o resto da vida, uma plataforma vazia. Mas você, menina Olívia, você tem o tempo. O meu se foi e hoje... sabe que eu prefiro mais a imagem de minha cabeça enterrada do que a das pessoas enterradas até o pescoço sob o sol quente, só com a cabeça para fora, como nos filmes de faroeste? Deus me livre de ter uma cabeça capaz de ver tudo, presa a um corpo devastado. Prefiro ser louca de vez. Falta pouco. Você ri? — perguntou, enquanto eu me surpreendia por ter um riso estacionado no rosto. — Já é alguma coisa. Mas saiba que dói quando a loucura passa. A lucidez é jaula.

 Enquanto ela falava, suas mãos voltavam de tempos em tempos para conferir os botões do vestido. Notei que tremia.
 — Biá é meu nome de louca. Biá, e não Bia, note a diferença — insistiu, bem-humorada. — Pus acento para não ficar de pé muito tempo, por causa de minhas varizes — e abriu um sorriso macio

antes de concluir: — Esqueça a gramática, ouça apenas a música. Esta, sim, atravessa muros.

Enquanto ela falava, não era a loucura o que eu via. Não sei precisar o que me atraía naqueles olhos escuros. Mas ela, certamente, viu uma expressão apalermada na minha cara e reagiu:

— Não leve tão a sério, Olívia, por favor! Não vou assediá-la com conselhos. Sempre odiei livros de autoajuda. É compressa de literatura ruim, como se tudo pudesse se resolver rapidamente. Como se bastasse sempre uma boa conversa para se acabar com os impasses. Seremos amigas se soubermos ao mesmo tempo... um, dois e já! Há rompimentos insensíveis ao diálogo. É por essas e outras que as distrações me aliviam. As rimas. As flores inesperadas. O que fisga meu olho pelo rabo. A vida não é de confiança, Olívia, nos apunhala com a mesma faca com que passa manteiga. A vida, essa senhora banguela, não teme a feiura e faz coisas medonhas com sua boca murcha que não lhe inibe as gargalhadas. Ao contrário, gosta de nos exibir a extensão da mordida que nos dará com deboches e ironias ao invés de dentes, para nos fazer pagar a língua enquanto giramos estonteados, pra lá e pra cá, entre suas gengivas. Veja o seu caso, o que você acabou de me contar com os olhos rajados de sangue: bem na hora em que sua amiga, Rita, ia esclarecer por que botou você para fora da vida dela, talvez explicar um grande equívoco, talvez revelar o segredo que vem espezinhando você há tanto tempo, o que a vida faz? Masca, como uma tesoura cega. Agora você está aqui sem saber, esmagada pela fatalidade brutal. Sentindo-se, mais uma vez, empurrada para trás daquele portão que tanto marcou sua infância. Eu consigo vê-lo, estreito e frio, e meu coração se enternece. Ah, Olívia... me desculpe a falta de freios. Esqueça tudo que eu disse e guarde apenas o que vou te dizer agora: não saber nem sempre é o pior lugar.

E então ela apertou levemente meu braço sobre a mesa e se levantou. Pareceu-me exausta, sem a menor condição de imaginar que eu queria que ela continuasse a falar. Eu queria me demorar na distância que aquela conversa fez com que eu tomasse de mim mesma. Há dias não conseguia parar de pensar no que aconteceu com Rita. No que nos aconteceu. Seria melhor se ela não tivesse ligado, mas ligou. Seria melhor se eu não tivesse ido, mas fui. Seria melhor se eu nunca tivesse acolhido seus gestos em nossas coreografias pela vida afora, mas acolhi todos os que ela me ofereceu. O tempo que passei com Biá, aquela senhora de olhos brilhantes e fala desatinada, foi uma trégua.

— Venho sempre aqui, Olívia. Aos domingos sentarei neste mesmo lugar e esperarei por você como se espera um oásis. Venha me ver quando tiver tempo. Engraçado, não é? Você, que tem todo tempo pela frente, talvez não tenha tempo; eu, que não o tenho, tenho. É a boca banguela da vida, louca por uma gargalhada. — E, dizendo isso, foi embora lentamente, sem olhar para trás.

Aqueles eram dias tristes, de uma tristeza vinda de longe, como uma onda que percorreu quilômetros de mar para se avolumar. Nossa amizade começou assim, enquanto nos afogávamos.

Anotações de Biá

Breve tratado sobre as histórias tristes.
Há de ter perda.
Injustiça.
Remorso.
Caso haja perda, injustiça e remorso, será tristíssima.
No meu coração a história mais insuperavelmente triste é *A escolha de Sofia*. Talvez porque seja, sobretudo, a história de uma mãe e uma filha, o que, em mim, já é um doloroso começo. A mãe é obrigada a escolher entre dois filhos, um menino e uma menina, qual será imolado. Não como um cordeiro que se oferece a Deus, mas como gozo exigido por um sádico, um nazista obstinado em se afastar do que é justo, uma besta brincando de bater recordes. Tem-se então condensado, como em um mapa, o lugar mais distante a que a tristeza pode chegar. A perda de uma filha. A injustiça hedionda. E o remorso da mãe que sentencia à morte sua menininha, tendo, mesmo que odiosa e ilusória, escolha.

Ah... Teo, essa é uma incomparável história triste, mas, sendo a própria tristeza incomparável, tão íntima e particular ao ser sentida, ouso falar de mim. Posso suportar perder você, e sem você tudo o mais que perco. Posso viver com a injustiça divina de ignorar minhas preces, sem considerar o quanto de mim mobilizei para dobrar meus joelhos, esses joelhos enrijecidos por pretensiosos conhecimentos. O que não tenho suportado é o remorso dos momentos em que olho para nossa filha e não tenho mais só olhos de mãe.

2º encontro

Quando cheguei a nosso segundo encontro, Biá parecia me esperar sentada em sua mesa de sempre. Vi que se alegrou.

— Não me esqueci de seu nome, Olívia, e noto que você hoje veste cinza. Deu a seus olhos ares de neblina — disse, reparando em mim, conferindo à exatidão o que acabara de dizer. — Confesso que sua história está como um queijo suíço em minha cabeça, faltando deliciosos pedaços. Tentei me lembrar... com que palavras mesmo sua amiga expulsou você da vida dela?

Aquela era uma pergunta tão direta que, por um instante, achei que não deveria estar ali, e, sem que me ocorresse motivos para ficar, comecei a falar. Contei sobre o dia em que vi Rita pela primeira vez, quando ainda era criança, e o impacto que ela provocou em mim. Nossas aulas de catecismo, sua loucura com meus seios, as viagens para a praia... o que ela fez por minha mãe quando mais precisamos. Contei sobre Violeta e suas maldades comigo, seu pai asqueroso, sr. Dantas, e a pobre coitada da sua mãe, dona Esmeralda. Contei de Catarina, a irmã de Rita, e seu magnetismo, e como os amores dela me excitavam. Até chegar ao dia em que eu e Rita rompemos... a minha dor, a minha vida sem ela e o nosso reencontro depois de tantos anos sem nos falar... como tudo foi absurdo e trágico.

A partir desse dia, todas as vezes que repeti minha história, e foram muitas, Biá parecia ter uma lanterna nos olhos, procurando por alguma coisa em lugares escuros. Ela me ouvia, quase sem piscar, como se a qualquer momento fosse fisgar um peixe.

— Gosto muito de ouvir você, Olívia. Sei que vou me esquecer... Espero que você não se importe de repetir sua história outras vezes. Você se importa?

— Não.

— Mas se importará e não poderei culpá-la. Meu esquecimento é cansativo, pelo menos a mim, ele cansa terrivelmente.

— Não sinto que estou repetindo minha história, Biá. Há sempre alguma coisa que não havia sido dita — insisti, não por gentileza, mas por sentir sinceramente que, ao contrário de minhas impressões iniciais, repassar aquilo tudo me trazia alívio.

— Ouvirei sempre como se fosse a primeira vez. Isso é o que posso prometer. E não é pouco, viu? A primeira vez tem sempre os melhores ouvidos. Quando ouvi "Erbarme dich", de Bach, pela primeira vez... Você conhece essa música?

— Acho que não... talvez.

— O remorso em notas suplicantes. A primeira vez que ouvi, meu corpo se aprumou como a orelha de um cachorro vigilante atento a alguma coisa prestes a chegar. Era como se a música fizesse o essencial vir à tona, fulgurante, antes de me escapar. Largo tudo para prestar atenção no que algumas músicas fazem comigo!

E depois de uma pausa, passando lentamente os dedos na testa, prosseguiu:

— Certamente, ao dobrar aquela esquina, bem ali, terei me esquecido de sua história! Vou perdendo os pedaços pela rua como se fossem miolinhos de cérebro marcando um caminho sem volta... Mal chego em casa, anoto o que sobrou de mim, o que ainda esperneia... Não me esquecerei de que em você há alguma coisa capaz de aprumar meus ouvidos e refinar minha alma. Ainda assim, fiz minhas anotações do nosso primeiro encontro: seus verdes! Como foi vê-los pela primeira vez... um sonho nítido, e a nitidez nos sonhos é mais nítida do que nos acordados. Eu vi você, Olívia, como se sonhasse.

Por alguns segundos Biá fixou seus olhos comovidos em mim, e, quando voltou a falar, parecia recitar resignada um texto que sabia de cor:

— Em outros tempos eu ouviria menos o que contas e mais a textura de tua voz. E saberia de onde ela vem, se da superfície ou se de lugares que nem imaginas. Diante dos teus sons abissais, eu faria alarde para que soubesses o que ocultamente andava a te conduzir. — E, encontrando novamente o tom informal de nossa conversa, prosseguiu. — Mas agora não, agora são as tramas que você narra que me ocupam. Tornei-me uma bisbilhoteira. Não deixe de me lembrar, conte, mesmo que eu me esqueça de pedir, porque me faz bem tudo o que embaça, como uma lente imprecisa, a morte iminente que me assombra. Sabe, Olívia, poucas coisas não esquecerei, porque mesmo no meio de todo o caos, um ventre não esquece. Como no poema "Vietnã", em que uma mulher, de tanto sofrer, se esqueceu de tudo. Não sabe nem de que lado da guerra está, mas não se esqueceu de que é a mãe de sua filha. Eu também não me esqueci. De minha filha não me esquecerei, nem quando estiver pálida e não souber mais como voltar para casa... Ah, Olívia... não quero me esquecer também daquilo que em sua história pode me acudir — disse, recuperando o brilho nos olhos. — Sua Acácia, por exemplo, não é este o nome daquela moça? A que nos faz rir? Chamarei por ela gaguejando na hora dos meus apertos, quando não puder mais dizer o nome de minha filha...

— Qual é o nome de sua filha? — perguntei.

— Dolores.

E Biá, subitamente, começou a procurar um livro na estante, suspendendo nossa conversa. Só um tempo depois voltou a me ver ali a seu lado.

— Eu e minha filha... seria bom se eu pudesse dizer "nós", mas não podemos guardar tão pouca distância...

— O que aconteceu com você e sua filha, Biá?

— Sofremos juntas.

— Então é de uma história triste que vem toda essa sua elegância? Não quer me contar? — perguntei, desejando que ela o fizesse.

— Não me lembro mais do começo.

— Comece de outro lugar, qualquer lugar — insisti.

— Sem o começo minha história não rende um verso. Meu marido, que me amava e que era amado por mim, foi embora. O pai de minha filha, que a amava e que era tão amado por ela, foi embora. Nunca mais o vimos. Aí está toda a nossa história quando não consigo me lembrar do começo.

Mais uma vez ela se calou. Esperei que retomasse nossa conversa, mas ela se agarrou a um livro e foi embora com ele para a Rússia.

Anotações de Biá

Teo também gostava dos meus seios, Olívia. Não da beleza propriamente dita que Rita via nos seus, nasci sem nenhum atributo acima da média. De maneira que meus seios completamente nus nunca arrancaram grandes contorções de Teodoro. O que ele gostava mesmo era do momento exato em que meus seios estavam prestes a ser revelados, toda a atmosfera ao redor desse breve instante em que um anseio se descortina como um sol que nasce. Eu era sua eterna Duília, a menina moça recatada, que mal namorava de longe o rapazinho tímido e que, em uma procissão de virgens castas sob o céu estrelado, ao vê-lo com o olhar fixo em seu colo, abre a blusa e diz a ele:

— Quer ver?

Ele quase morre de êxtase. Pálidos ambos, ela ainda repete:

— Quer ver mais? — E mostra-lhe o outro seio branco, branco... E depois... fecha calmamente a blusa. E prossegue cantando...

Instantes assim me foram tirados quando Teo se foi, Olívia. Não porque eu não os vivi mais, mas porque não pude mais me lembrar deles sem sentir dor.

3º encontro

— Da minha casa até aqui, Olívia, que é muito perto, a ponto de alguém com o meu passo poder vir andando, foram três as vezes que me pediram esmolas. Como Pedro, antes do galo cantar, neguei todas elas — disse Biá enxugando com um pequeno lenço o suor da testa. — Não gosto de dar esmola. Não gosto que me peçam, porque sinto culpa. Fico irritada, faço cara de irritada. O ser queria um pouco de compaixão, e eu lhe ofereço uma expressão indignada, um olhar apressado em dizer "não tenho". É claro que eu tenho, mas digo "não tenho", minto descarada em sua cara, como se além de pobre ele fosse burro. Vem logo uma voz dentro de mim apelando: "Por que não trabalha em vez de pedir?" Sei que é uma pergunta estúpida, que algumas pessoas mais estúpidas ainda acham pertinentíssima! Mas não escapo. Se eu der, vai beber em vez de trabalhar. Se beber, nunca vai aprender a pescar. Tento me justificar com a consciência limpa, sob as bênçãos da parábola bíblica, mas, se for honesta mesmo, não dou porque me interrompe. Minha motivação não é nobre!

Só nesse momento Biá conseguiu se sentar, ainda ofegante, depois de ajeitar a bolsa nas costas da cadeira com a qual travava uma luta. Eu já estava me divertindo com sua língua solta.

— Agora mesmo — prosseguiu ela —, eu tentava me lembrar de um verso de Pessoa. Quase peguei pelo rabo a palavra que me faltava, entrando e saindo do buraco que se tornou minha memória, quando me pediram um trocado, "qualquer coisa, dona". Não posso pôr qualquer coisa na poesia de pessoa alguma, concorda?

— Concordo — disse, já sabendo que pouco importava.

— Às vezes, firmo o propósito de tratar melhor quem me pede esmolas e ajudas em geral. Mas perco a paciência só de ouvir: "Oh dona, me dá uma ajuda, pelo amor de Deus." Não sou uma pessoa caridosa, é uma constatação horrível, Olívia. A idade deveria ter me melhorado, mas só sei sentir as dores alheias mais sofisticadas. Traumas edipianos, pulsões de morte, fobias histéricas, obsessões, ideias delirantes. Fome? Frio? É básico demais, deixo a Kombi resolver. A aflição de uma mãe na porta da padaria que não tem o que dar de comer a um filho me azeda mais do que comove na direção de ajudá-la. Para que teve filho, então, se não consegue alimentá-lo? E essa pergunta brutal se volta contra mim: por que tive eu uma filha, se não consigo alimentá-la? Vejo projetada sob todo o meu ser a sombra dolorosa da realidade daquela mulher maltrapilha, que, mais forte do que eu, tem pelo menos a coragem de pedir ajuda. São as ferroadas da incoerência, bem em frente à padaria, valendo-se de seus fermentos para se avolumar. E a pergunta quase me fecha a glote: para que tive minha filha, se não consigo alimentá-la? Se não consigo matar a fome que ela esfrega na minha cara todos os dias? "Olha o que me falta, mãe, olha aqui o que me falta." E eu sem migalhas para lhe oferecer. Há muito tempo minha filha não me cobra nada com palavras, só com distâncias. Não chega perto, não me beija, nem vem para a minha cama esquentar seus pezinhos entre minhas coxas. Será que ela cresceu tanto assim a ponto de nunca sentir frio? Você cresceu tanto assim? O que sua mãe fez quando Rita te deixou? O que foi feito de sua mãe quando você se tornou uma pessoa abandonada? Me diga, Olívia.

E então, ela fixou os olhos em mim e esperou.

— Minha mãe?... — gaguejei despreparada, sem esperar ser envolvida naquele monólogo. — Minha mãe... acho que nem soube, na época, que me tornei uma pessoa abandonada, Biá. Depois que Rita rompeu comigo, nós nos mudamos de casa. Deixamos de ser vizinhas — disse, dando de ombros. — Eu não contei para minha mãe o que aconteceu entre mim e Rita. Sentia vergonha. Pensava que, se mais uma vez eu me via atrás daquele portão, posta para fora, escorraçada daquele jeito, é porque devia mesmo ter alguma coisa errada comigo. Mudar de casa foi uma decisão da minha mãe, não teve nada a ver com minha história. No começo, senti alívio, não queria continuar me encontrando com a indiferença inabalável de Rita, o que acabou acontecendo algumas vezes, antes da gente se mudar. Passamos uma pela outra, eu cheia de boa vontade para desfazer o mal que ela me fizera. Caso ela acenasse, eu espelharia docemente seu movimento como sempre fiz. Mas ela não se moveu. Foi bom parar de viver perto. Ao mesmo tempo, viver longe significava estar fora do alcance de uma reconciliação. Eu não mais abriria o portão e daria de cara com ela saindo de casa do outro lado da rua. O acaso não nos daria uma oportunidade. Nosso afastamento se tornou definitivo. E só hoje eu sei o quanto significou... mesmo minha vida tendo rapidamente se tornado outra. Quando mudamos, minha mãe saiu da empresa do Eduardo, pai de Rita, e foi trabalhar com o irmão em um trabalho muito aquém de sua capacidade. Nunca entendi direito essa decisão, mas foi o que bastou para aumentar ainda mais a distância entre mim e Rita.

— Seus olhos se parecem com os de sua mãe? — perguntou Biá, com seu jeito inconfundível de mudar de assunto.

— Só no formato.

— De que cor são os olhos dela?

— Mel. Mostarda? Sei lá, uma cor indefinida. Profunda. São os olhos mais bonitos que já vi.

Naquele momento, me dei conta de que todas as vezes que pensava em minha mãe eram seus olhos de outono que vinham ao meu encontro, e seu jeito de se movimentar deslizando, como se andasse em uma esteira rolante, sempre um pouco fora de alcance.

— Minha mãe teve que aprender a olhar com cautela, Biá, as pessoas se sentiam muito provocadas... — disse, me lembrando do quanto isso dificultou nossas vidas.

— Sei como é, Olívia, posso imaginar. Dona Laura parecia ter vergonha de sua beleza incontestável, que produzia um efeito forte e triunfante demais. Não é?

— Exatamente. Ela tentava se apagar no jeito de se vestir, recusava os enfeites, as cores, as estampas, mas era em vão. Quanto mais ela tirava, mais sua beleza ocupava espaço.

— A beleza sabe, como poucas coisas, ocupar espaço — enfatizou Biá, colocando as mãos no meu ombro e se aproximando. — Ocupa a sala, os salões, as mentes e... os sonhos, e não conseguimos nos desviar. Ser bela é ofício que não deveria ter preço. Nem castigo. Deixem as rosas em paz! Como sabiamente decidiu o bispo de Digne, Monsenhor Bienvenu, de *Os miseráveis*, quando não permitiu que sua plantação de roseiras desse lugar a uma horta. O belo é tão útil quanto as coisas úteis, disse ele. As rosas ficam! — disse Biá, aumentando a voz. — E que fiquem eternamente, como nas fotografias de Teodoro, pai de minha filha, meu amor perdido. — E, sem tomar fôlego, prosseguiu: — Malditos são os que não deixaram em paz os olhos de sua mãe e tanto mal acabaram por lhe fazer. Bem fez o jarro que, segundos antes de rachar a cabeça do asqueroso sr. Dantas, carregava flores. Para defender a delicadeza não deve faltar agressividade, minha querida.

— Tem razão, Biá, muito bem fez o jarro.

Nunca me esqueci do nojo que sentia da calvície suada do sr. Dantas e do hálito pavoroso que emalava sua voz. E de como ele tentou abusar de minha mãe. Ali, diante de Biá, experimentei quase uma alegria ao me lembrar de que aquele jarro arrancou um pedaço dele. Senti uma saudade dolorosa de minha mãe. Fui tomada pela sensação de que sempre estivemos, de alguma maneira, impedidas uma para a outra. Tumultuadas com nossas próprias vidas, sonegando nossa solidão. E então, depois do meu encontro com Biá, fui vê-la. Fiz com que me pegasse no colo e me bajulasse com excessiva atenção. Não deixei que se deslizasse, escapando-me gentilmente. Prestei atenção, como nunca, no trabalho que o tempo vinha pacientemente fazendo. E vi que aqueles olhos ainda estavam lá.

Anotações de Biá

Olívia — meu oásis
Laura — mãe de Olívia
Rita — amiga de Olívia
Luciana — mãe de Rita — pintou uma parede de azulejos com bico de pena IMPRESSIONANTE — preciso ir vê-la — rua da igreja, Floresta, gramado na frente, muitas janelas, alpendre com grandes pilastras
Eduardo — pai de Rita
Catarina — irmã de Rita
Violeta — violenta
Sr. Dantas — o asqueroso abusador, pai de Violeta
Dona Esmeralda — mãe de Violeta
Inácia — Acácia — a empregada falante de dona Esmeralda

4º encontro

— Anotei algumas coisas sobre sua história, Olívia, para não me esquecer de tudo. Fico olhando para os nomes que pus no papel, e as pessoas escapuliram. Menos Violeta e o asqueroso Dantas. Infelizmente o asco não nos dá a alegria de ser volátil. Mas é em Violeta que venho pensando há dias. Que gargalhada a vida dá ao fazer uma menina tão violenta se chamar Violeta, não é? Acho que foi isso que a prendeu no papel, enquanto todos os outros saíram por aí, deixando seus nomes vazios de significado em minhas anotações. Mas Violeta violenta, não. Uma única letra, e a flor vira navalha! Veja como são inteligentes as palavras. Você voltou a vê-la depois que se mudou?

— Muito rapidamente. Há uns dois anos entrei em uma loja no centro da cidade. Sabe aqueles rodízios que as vendedoras fazem entre si? Quando entrei, era a vez de uma moça que veio imediatamente me abordar. Eu reconheci na hora, era Violeta. Ela também me reconheceu e ainda tentou passar a vez para outra vendedora, mas já era tarde. Não dissemos nada uma para a outra, mas, quando eu já estava de saída, perguntei a ela: "Seus pais ainda são vivos?" Ela disse: "Minha mãe é; meu pai morreu faz tempo." Agradeci e fui embora, levando a forte impressão de que os olhos dela se encheram de água.

— Será que ela se arrependeu do que te fez? Ou do que se fez? Ou até mesmo do que fizeram a ela?

— Não sei se podemos nos arrepender do que nos fazem, já que não podemos impedir que façam — argumentei.

— Quase nunca podemos, e, ainda assim, os piores arrependimentos são do que deixamos que nos façam.

— Talvez — concordei, pensando no que vivera com Rita. — Não sei se Violeta se arrependeu, Biá, ela era uma criança! Só sei que senti um aperto no peito ao vê-la desprovida de arrogância. Eu achava que ela seria alguém na vida, pelo tanto que era valente na infância.

— Mas ela é alguém na vida.

— Eu sei, mas é que achei que ela seria mais do que uma vendedora. Seria a gerente da loja, sei lá, a chefe da torcida, a protagonista no teatro do bairro.

— É... a boca banguela da vida não brinca em serviço. Mas ainda bem que podemos ser diferentes do que fomos, Olívia. Quando Violeta torturou você, era apenas uma criança, o que não diminuiu em nada seu paleio em machucar. Sob o véu da inocência reside uma capacidade tremenda de ferir. Não dependemos de discernimento para fazer grandes estragos. Tive uma cliente que dava aula em uma escola para uma turma de meninos de quatro ou cinco anos. Um dia, a mãe de um dos alunos a procurou dizendo: "Meu filho chegou ontem em casa com uma tachinha no pintinho e disse que foi você quem colocou lá." Minha cliente se assustou, disse que jamais faria aquilo. E, diante do silêncio e do olhar que a mãe sustentou, começou a se defender, se defender, se defender. A mãe deixou que ela ficasse naquele esforço, sem interromper.

E quando ela não podia mais se acalmar, quando vislumbrou horrorizada que não teria como provar a própria inocência, a mãe contou que o menino já havia desmentido e assumido que ele mesmo fizera aquilo. Contou, não sem lançar a gosma da dúvida: será que um menino daquela idade conseguiria imaginar uma coisa assim? A dúvida estava lá. A dúvida pegajosa estaria para sempre lá, porque todas as pessoas no mundo acreditam que as crianças são apenas puras. E poucas coisas podem ser mais destrutivas quanto a criança inocente que inventa. Talvez ela até saiba que mente, mas não sabe o quanto destrói. É cruel, embora não seja culpada. Minha cliente parou de dar aulas quando compreendeu a brutalidade do que tinha sofrido e que estaria sempre exposta a toda invenção.

— Acho que Violeta não me fez tanto mal assim, Biá — falei, impactada pelo horror do que ouvira. — No final das contas, talvez ela me olhe e pense que fui eu quem tirou tudo dela.

— É, talvez... talvez Violeta seja apenas uma flor.

— Talvez. Na verdade... pouco importa. Nem me lembro direito dela — retruquei, dando de ombros.

— Não é preciso se lembrar para arrastar uma história vida afora — disse Biá, esticando o pescoço. — Parece que está saindo um pão de queijo quentinho ali no Rodolfo. Estou com uma fome danada!

— Acabamos de comer, Biá!

— Que é isso? Eu não como há horas. Se tivesse comido não estaria com fome.

E saiu andando em direção à banca.

Não demorou muito e precisei ir embora, deixando Biá devorando pães de queijo e livros. Durante toda a semana não parei de pensar na última coisa que ela disse quando me despedi:

— O que realmente nos fere, Olívia, sempre envolve o que amamos.

Violeta não chegou nem perto de me machucar. Rita, sim.

Anotações de Biá

Teo-ria de Emma.
Tenho para mim que as palavras carregam mais do que seus significados. É preciso cavar e não apenas ouvir. Em sabedoria cabe dor, cabe ria. E do que mais precisa saber o sábio? Em minha arqueologia das palavras, busco, incessante, seus vestígios. Em momentos de graça, infrequentíssimos, poderei apanhá-los. Tenho obsessão pelo que está oculto e me arrisco a toda livre intervenção: posso dividi-las como me aprouver, desprezar pedaços, inventar, acrescentar letras, subtraí-las ou me levar por seus sons como quem se entrega à correnteza de um rio manso, na leveza da superfície. Posso deixá-las em paz por longos períodos. E nem mesmo quando você vira os olhos e ri, Teo, eu me inibo. Sei que não passo de um catatauzinho em meio a galáxias de bolinha de gude, mas, se não posso ir voando, irei mancando. A metamétrica de minha exploração não se submete às normas gramaticais ou a constrangimentos intelectuais, aceito o vexame como quiser. Tenho paixão.
Como não amar as palavras que carregam na forma o bolo?

5º encontro

    Quando cheguei à banca, não vi Biá de imediato. Ela estava em pé mais adiante, com as mãos na cadeira, observando o movimento da rua. Dia bonito, azul, pessoas de todas as idades correndo pra lá e pra cá com suas roupas coloridas, crianças nas bicicletas com rodinhas, rapazes velozes nos skates, uma saúde formidável circulando sob os bonés. Ela ficou por lá um tempo e não dava sinais de que viria para a nossa mesa ter comigo. Fui até ela. Quando me viu, foi logo dizendo:

— Está vendo aquele moço que vem lá correndo sem camisa?

— Opa, bonitão! — falei, exagerando no assanhamento.

— Ele e o corpo são uma coisa só. Cúmplices. Aonde ele vai, o corpo vai. Se ele come, o corpo digere. Se quer dançar, o corpo fica leve. Se está em silêncio, o corpo se cala. Se quer amar, o corpo se entrega. Se quer correr, o corpo acelera. O corpo dele é um aliado, está do lado dele para o que der e vier. O meu tornou-se meu inimigo mortal. Estamos em pleno litígio, nos separando a passos largos, e morrer nada mais será do que consumar essa separação.

Cortamos relações diariamente, e o desgraçado anda me prejudicando, me expondo a um ridículo diário. Só me faltam as fraldas. Esqueci qual é a torneira de água quente, me queimei. Esqueci a cor de minha escova de dente e agora vivo com o nojo de escovar os dentes com saliva alheia. Esqueci por que minha filha deixou de me amar. Queria esquecer que ela deixou de me amar, mas isso não esqueço, a fome me lembra. Tenho tanta fome, e minha filha me nega comida. Não perde a oportunidade de exibir sua mágoa. Diz, ácida, que acabei de comer. Minha fome tem memória de elefante, enquanto eu me desmoralizo em ausências. Esquecer não é o pior, inventar é. Larguei tudo para cuidar de meu neto, o filho de minha filha. Tudo. Chega uma hora em que as mães precisam ser avós. Passar a limpo. Meu tempo já estava mesmo se esgotando. Foi melhor assim. Me despedi dos meus clientes, alguns ainda acreditavam que eu poderia ajudá-los. Não poderia. Tornei-me descrente de que é possível saúde onde não há cura. Não pude comigo mesma... não pude sequer com os sonhos. Veja você, nem com os sonhos! — Suas mãos trêmulas seguraram as minhas. — Os gritos de minha filha não param de invadir meu silêncio, como se eu fosse má. Ela tem pensado em me trancar, eu sinto. Caso eu suplique que se ajoelhe e reze por mim, ela se recusará, e o que há de sinistro nela virá à tona. O silêncio tem sido difícil diante dos gritos. Sou como você, não suporto gritos. Ela me acusa, nem se dá conta de que eu choro toda vez que penso nele e no que foi feito de nós. Sinto náuseas. Já não se trata de uma doença, nem de um acesso passageiro: a náusea sou eu.

    Vi no rosto de Biá agravar-se o desespero, como se sua própria voz acabasse de lhe revelar um mal-estar extremo que não a deixaria mais.

    — Não quer ir para a sombra, Biá, se sentar em nossa mesa, beber um pouco de água?

Ela aceitou o braço que lhe ofereci, e fomos juntas, no seu passo, caminhando até nosso lugar. Depois que nos acomodamos, ela, com os olhos distantes, continuou a falar:

— Tinha uma mulher que vinha me ver toda sexta às oito. Ela chegava pontualmente atrasada às oito e quinze. Quinze minutos de luta entre ir e não ir, seu atraso era um lapso no melhor sentido psicanalítico. Ir ou não ir? Eis a questão. Durante meses mastigou a mesma frase: "Quero me separar, quero me separar, quero me separar." Ir ou não ir? Ela sentia um ódio adocicado pelo marido. No final do fel, que detalhadamente me contava exalar dele, sobrava alguma coisa que lhe agradava as papilas. Era ali que ela ficava. É no corpo que ficamos, a razão faz as malas com facilidade.

Biá se calou e mastigou por um bom tempo a frase "Era ali que ela ficava". Fiquei em silêncio, sem querer interrompê-la. E então ela voltou a falar, a voz trêmula:

— Eu não pude ficar. Não pude. Por que não me agarrei à dúvida como fez Teodoro? Pai de minha filha, meu amor. Deixamo-nos sem que nada nos desagradasse um no outro, nenhuma gota de fel nos separava. Enquanto fomos capazes de dormir juntos fomos capazes de viver juntos. O que me transformou em um imenso estômago embrulhado foi o vazio que ele deixou.

Novamente ela se calou, e só depois de um tempo se deu conta de que eu ainda estava ali:

— E você, menina Olívia, como me aguenta? Sabe que quem comanda a narração não é a voz, é o ouvido?

— Gosto de te ouvir, Biá — disse, afastando de seu rosto uma mecha de cabelo. — Por que ele foi embora? — perguntei.

— Quem?

— Teo.

— Biá é meu nome de louca.

— Eu sei.

— Sou uma mulher com varizes.

— Eu sei também — disse, sorrindo diante de sua estratégia infantil de mudar de assunto. — Por que, Biá, o Teo foi embora? Já somos amigas, não somos?

— Rita é o nome de sua amiga, Olívia. Pergunte a Rita por que ela deixou você na plataforma vazia vendo o trem se afastar. Se ela não tiver pós-graduação, como eu, não saberá ficar em silêncio. Há de se entregar.

— Não posso mais perguntar, você sabe — argumentei.

— O que vamos fazer então, Olívia?

— Esquecer — falei, dando de ombros.

— Ah... esquecer! Esquecer não é coisa que podemos escolher. Quem dera pudéssemos! As pessoas dizem tolamente: esqueça! Sem se darem conta de que é o esquecimento que nos escolhe. Conte novamente sua história, quem sabe encontramos uma maneira de viver com ela.

Anotações de Biá

Teo, para você parar de sonhar, estou disposta a acreditar em milagres. Vou me levantar cedo e ir até a igreja, ficarei de joelhos.

6º encontro

Biá apareceu na esquina, nervosa, olhando para trás, vindo e voltando; gesticulava largo, gritava alguma coisa que eu não podia ouvir para alguém que eu não podia ver. Até que conseguiu vir se sentar comigo em nossa mesa. Estava transtornada, a respiração ruidosa. Falando alto, ameaçando se levantar, de maneira que eu não sabia ao certo se falava comigo ou com alguém que eu continuava não podendo ver.

— Minha filha pôs uma babá me seguindo, espionando, para ver se eu deixo escapar alguma coisa. Ela não aceita que eu escolhi me calar. Não quero dizer — disse, aumentando a voz na direção de seu interlocutor invisível. — Quando digo isso, vejo cair sobre mim uma tempestade de indignação. Não quero dizer, seguido de ponto final, é pior do que infringir as leis, corromper a ética, rasgar a bíblia. É como se não querer fosse uma blasfêmia, e não um direito. Uma agressão, e não um direito. Um soco-inglês enrolado nos dedos, e não um direito. Quem pode dizer simplesmente "não quero dizer" sem se ver obrigado a fornecer inúmeras frases de convencimento? Um esforço brutal é preciso para se calar. Quem você pensa que é? É o que minha filha quer berrar comigo, porque a essa altura ela já pensa em apelar. E um centímetro acima dessa altura, ela entraria no território dos chutes, estrangulamentos e agressões de todos os calibres, cobertos de ódio e razão. Nada mais destrutivo do que alguém ter razão enquanto sente ódio. Ela tem razão. Ela sente ódio. Mas ela não quer saber do meu direito de protegê-la. Não me esqueci de que sou sua mãe. Não-me-esqueci--de-que-sou-sua-mãe — repetiu, gritando em direção à esquina. — Tenho o direito de protegê-la! Hoje ela perguntou de novo: "Você está se esquecendo das coisas, não está na hora de me dizer o que aconteceu?" Eu apertei os lábios para que não me traíssem, balancei negativamente a cabeça, sustentando minha decisão. Dei as costas e saí. Saí para me convencer de que tinha direito àquele ponto final. Que depois do "não quero" eu tinha direito ao silêncio, ao nada mais a dizer. Eu não preciso de consentimentos. — Biá olhou para mim aflita, esfregando a mão no pulso. — Eu sei que é nada o que posso dar à minha filha. Ela está coberta de razão. Mas e daí se ela está coberta de razão? Desculpe a vulgaridade, que só na boca de uma senhora de minha idade beira a perfeição, mas foda-se se ela está atolada até o pescoço de razão. Eu, eu toda, eu aqui comigo, eu no escuro do quarto, eu neste corpo em ruínas, eu debaixo do chuveiro, eu curvada tentando amarrar o sapato que não alcanço mais, eu mastigando uma sopa em silêncio, sentindo qualquer migalha sólida se agarrar a meus dentes, que se tornaram campeões em agarrar coisas, eu nas horas mais sozinhas, eu, apenas eu, estou completamente apavorada, e isso minha filha não sabe sentir quando me vê. Quando ela me olha, vê seus direitos. Não vê como transpiro.

Biá começou a chorar e a tremer. Rodolfo veio correndo trazer um copo d'água.

— Dona Emma quer que chame alguém? Sua filha? — perguntou solícito.

Ela ficou ainda mais nervosa. Eu disse a ele que deixasse comigo. Segurei as mãos de Biá, que tremiam dentro das minhas, e disse a ela:

— Às vezes a gente precisa saber por que nos abandonaram, Biá. Eu daria tudo para saber por que Rita me deixou. Sua filha talvez tenha o direito de saber por que o pai foi embora. Dói não saber. Dói não dizer. Não está pesado demais esse silêncio?

Ela, então, se perdeu demoradamente nos meus olhos, como se não compreendesse a liberdade que tomei com minhas palavras.

— O que você sabe, menina Olívia, sobre o silêncio? Eu bem sei muita coisa, e é isso que minha filha não tolera em mim. Comigo veio numa enxurrada de palavras desgovernadas que minha língua, estalando, catapultava aos ouvidos de quem estivesse passando. Como pedras atiradas com métodos rudimentares de lançar coisas. Eu não fui despreparada para essa aventura de endoidar. Cerquei-me de um reforçado silêncio, como um xale de franjas encorpadas a me cobrir as essências. Debaixo de tal pano acetinado e florido eu ainda podia ser eu, reconhecer-me. E assim, segura, deixei que todo o resto se desvairasse. Falei desentendida de qualquer freio. Alto. Deseducada nos gestos. Se um colega de pós-graduação passasse na hora, aqui, bem aqui, em frente a essa banca, eu lhe mostraria dedos obscenos. E fui assim experimentando e tomando gosto por aquele descarrilamento, até que dei de cara com seus olhos, Olívia. Esses olhos que vejo agora e que me reivindicam o direito de saber. Olhos que me expõem, com demasiada clareza, que não saber dói e não dizer me pesa os ombros. Faço aqui um parêntese sobre os seus olhos. Mereciam todo um capítulo, mas serei breve para não chateá-la, porque preciso, acima de tudo, lhe ser grata. Seus olhos podem mais do que mil guindastes, são o resgate a me salvar de um pesado inferno. Gosto de vir aqui ver você. Mergulho nos seus olhos e me vejo no meio da cor, parada no ar como quem flutua, sem esforço, beijando flores. Só essa desimportante sensação interessa aos meus dias. Já não converso mais, não há poesia em meus monólogos. Quis você, para meu imenso bem, ser generosa e me ouvir.

E então fechou os olhos e juntou as mãos como quem reza.

— Quem dera você pudesse me devolver a saúde e com ela a memória que tanto da saúde depende e que tanto a ela fere. Pois nada adoece mais do que lembrar. Mas, ainda assim, pode estar certa, não lembrar mata.

E me olhando com doçura, soube ser firme:

— Aceite meu silêncio, quero morrer com ele.

Anotações de Biá

Sou o que os que me conhecem inventam. Sou o que dizem de mim. E o que calo. Sou o que, com, sinto. Sou o espetáculo da loucura que quero ver nas caras chocadas. Como o exibicionista que mostra seu sexo murcho ou o que mostra seu sexo rijo e goza vendo o terror nos olhos de sua vítima. Se eu sou louca? Eu sei que não sou, às vezes. Minha filha grita que eu finjo. Não facilito nossas conversas. Mal sabe ela que nas horas que converso direitinho estou fingindo.

Antes de ser louca, eu queria a liberdade, essa irmã torta da loucura. Perdi o freio, por isso sou louca, se o tivesse jogado fora seria livre. Danei a gritar de tanto que me esforcei para ficar em silêncio. Treinei não dizer nada falando muito. Não é fácil calar enquanto estou viva. Enquanto sou mãe de minha filha, nas horas em que não a tenho em meu colo, mas ao meu lado, com nossos pés na linha de largada. Diante de ti, falo, sou um continente negro. Insondável caverna, esse côncavo, essa tigela que me enche por dentro do que me afoga. Sua rigidez não me compreende. A direção que apontas ereto não me endereça. A verdadeira mulher tem algo meio extraviado. Avacalho suas teorias. Nasci assim, rachada. Inesquadrinhável. Minha loucura é meu corpo em conflito.

Ou calo. Ou falo.

7º encontro

Há muitas maneiras de fazer silêncio. Biá era boa em inventá-las. Chegou de tênis em nosso encontro, calça de moletom pronta para se exercitar.

— Olívia, minha querida, levante-se: vamos caminhar. Não posso mais adiar seguir por essa avenida e verificar se ainda existe mundo depois daquela curva. Quem sabe já estou morta e agarrada a esse quarteirão, sofrendo à toa pelo tempo que se esgota? Fico aqui, vendo repetidas vezes todas essas coisas familiares, e desconfio que alguém ande rebobinando minha vida! Meus dias não passam de um eco. Portanto, vamos... mos... mos... mos! — disse, se divertindo.

Eu, que não estava exatamente paramentada, adorei a ideia de caminhar um pouco. Fomos. Biá parecia radiante, a fala bem mais solta do que as pernas.

— Eu ia trazer um bolo para você. Não qualquer bolo: o bolo da reconciliação, que aprendi com minha avó e já ensinei para meu neto, Bento. Não posso correr o risco de morrer e deixar o mundo prosseguir sem esse bolo, porque, certamente, será um lugar pior.

— E por que não trouxe? — perguntei.

— Por causa de Bento, Olívia. Ele comeu o pedaço que separei para você em um guardanapo de papel. Quando vi a bochecha do menino estufada, achei ruim, mas também achei bom. Bento adora esse bolo. E eu adoro Bento. Esse menino veio ao mundo para me curar. Os netos são uma espécie de amor passado a limpo, são oportunidades enternecedoras. Bento se apaixonou por esse bolo por um descuido meu, foi obra do meu remorso. Certa vez, fiquei de buscá-lo na escola e me distraí. Estava às vésperas de dar uma aula importantíssima sobre *Cem anos de solidão*. Vinha trabalhando no livro meticulosamente: grifando, comentando, decorando passagens. E, na tensão da pré-estreia, esqueci o menino na escola por duas horas, que no coração dele foram cem anos. Quando lá cheguei, ele se esvaiu em lágrimas, e eu logo entendi que qualquer desculpa seria pouco. Voltamos para casa, e não descansei enquanto não pensei em alguma coisa para compensá-lo. Reconciliação era a palavra. Um único minuto de reconciliação vale mais do que toda uma vida de amizade. "Vamos fazer um bolo!", propus. E fomos nós dois para a cozinha no passo a passo do bolo de laranja. Era tudo o que precisávamos: uma valsa. A uma certa altura, Olívia, quando o bolo estava no forno crescendo, Bento escapuliu, dizendo que ia ao banheiro. E no meio do caminho deu de cara com *Cem anos de solidão*. Meu livro e todas as horas que gastei nele, e todas as anotações que fiz nas margens, e tudo o que citaria no dia seguinte em frente a uma exigente audiência, caíram nas mãozinhas de Bento. Encontrei os pedaços espalhados pela sala, e, antes de desejar matar Bento e pisotear aquele bolo que dourava no forno, me vi subitamente capaz de ler aqueles pedaços de livro rasgados no chão, e neles estavam escritas muitas coisas sobre o amor.

Biá fez uma longa pausa. Parou de andar, olhou para um lado e para o outro, e se deu conta de onde estávamos.

— Olívia, olhe bem, nem tudo está perdido: há mesmo vida depois da curva! Acho melhor voltarmos, não se pode chegar ao fim do mundo caminhando, não com todas essas varizes. E, como não temos bolo, melhor contarmos com os pães de queijo de Rodolfo. Já estou com a fome dos que se exercitam!

Demos meia-volta e retomamos nossos pequenos passos. Então, perguntei curiosa:

— O que estava escrito, Biá?

— Onde?

— No livro despedaçado por Bento, o que estava escrito sobre o amor?

— Olívia, minha querida, não consigo sequer me lembrar de por que estamos aqui no meio dessa avenida. Meu Deus, quanta extravagância! Como rendemos tanto? Estou exausta.

— Não começa, Biá, o que aconteceu depois? O que você fez com Bento? — insisti.

— Adiei todas as coisas e fui com ele para a praia. O que Bento queria de mim eram bolinhos de areia.

— E a sua aula do dia seguinte?

— O dia seguinte não importa, Olívia. Importa o resto da vida. Importa o que não pode ser desfeito. Vou sempre me lamentar por tudo que afastou minha filha de mim. Olhe lá! — disse, apontando para a banca de Rodolfo. — Sou capaz de gritar "terra à vista"!

Anotações de Biá

Sabe o que aprendi sobre o amor? Que nem sempre ele ouve quando chamamos. É uma deficiência progressiva causada por vagas distâncias e grandes medos. Medos ensurdecedores que nos levam a situações em que deveríamos apenas nos deixar paralisar. Parar tudo. Deixar apenas o tempo em movimento. Nem respirar deveríamos. Muito menos partir. Foi por ignorância que me tornei histérica, gritei o quanto pude, mas o amor estava surdo, encolhido, atolado em impotências. Não pôde me ouvir. Sei que ele estava lá, Teo, sempre esteve entre nós, nunca se afastou. Nunca nos faltou. Podíamos ter confiado, teria bastado nosso amor para não nos faltar virtude. Tivemos pressa.

8º encontro

Eu estava a caminho da banca de Rodolfo, decidi ir a pé. A cidade cheia de ipês valia cada passo. Algumas árvores mereciam ser apreciadas demoradamente, imensas, sem folhas e cobertas de cachos cor-de-rosa. Um espetáculo contra o céu azul sem nuvens. Mesmo assim, eu me sentia apressada, querendo me encontrar logo com Biá e contar o que tinha feito.

— Você não sabe o que aconteceu, Biá — fui falando, excitada.

Ela parou de ler o livro que tinha nas mãos e me olhou com olhos interrompidos.

— Bom dia, Olívia, tudo bem com você? — perguntou com acentuada polidez, explicitando o desejo de alguma formalidade.

— Tudo bem, Biá, e você? — respondi, devidamente educada.

— Vou indo com pernas bem doloridas. O que aconteceu? O que tanto te apressa?

— Ontem, estive lá na rua onde eu e Rita moramos. Passei de carro, bem devagarzinho. Minha casa não existe mais, virou um prédio de três andares. A de Rita está lá, cheia de grades nas janelas, cerca elétrica, uma tristeza. Pensei em parar, procurar Luciana e finalmente conversar sobre tudo o que aconteceu, mas... ainda não foi dessa vez. Fui embora. Quando passei em frente à casa do sr. Dantas, vi Inácia. Você se lembra de Inácia-Acácia? A que nos faz rir? Aquela que trabalha na casa de dona Esmeralda há anos? Na verdade, mora com eles, não tem família por aqui. Ela estava varrendo o passeio, e eu a reconheci, mais pela cena que vi tantas vezes em minha infância do que por sua fisionomia. Está velhinha, mas ainda cheia de energia com a vassoura. Parei o carro e fui conversar com ela. Você acredita que ela me reconheceu, Biá? Olhou para mim um pouco desconfiada, tombou a cabeça e tomou aquele susto: "Olívia! Meu Deus, há quanto tempo! Que moçona bonita você ficou, meu Deus! Quando você era pequena tinha cabelo de fogo, sardinha no rosto, olho verde, pele branquiiiinha... eu achava que aquele colorido todo ia te prejudicar. Mas que nada, errei feio! Você é mesmo filha de sua mãe, dona Laura, tão bonita sua mãe, nunca esqueço!" E a gente foi conversando, Biá, e eu acabei perguntando se ela se lembrava do dia em que aconteceu a confusão entre minha mãe e o sr. Dantas.

— Eu me lembro daquele dia como se fosse hoje, não vou esquecer nunca. Seu Dantas chegou coberto de sangue em casa, com a cabeça arrebentada, xingando pro bairro inteiro ouvir — disse ela com seu sotaque carregado do interior. — Eu estava lá no meu quarto e escutei dona Esmeralda chamando "Inácia, acode aqui!". Achei que o mundo estava acabando, a gritaria era de assustar. Do jeito que estava eu fui, com a touca na cabeça, aquela touca de meia mesmo, você não deve nem saber o que é isso, é feia como o quê, ninguém usa mais. Naquela época, eu rodava o cabelo prum lado e pro outro para ele ficar mais domado durante o dia. Hoje eu ando assim mesmo, desgrenhada, com o cabelo que Deus me deu, importa-me lá. Mas, voltando aqui pro nosso assunto, eu cheguei na sala e a sangueira estava pra todo lado, dona Esmeralda tentando ajudar e aquele homem rosnando. Ele falava horrores de dona Laura, sua mãe. Que ela deu de cima dele, que queria um homem para pagar as contas, e foi falando, falando, e, para resumir, falou que sua mãe se ofereceu pra ele, que ele não quis nada com ela, e aí ela deu com uma coisa na cabeça dele, e o sangue veio abaixo. Foi essa conversa torta que ele trouxe pra dentro de casa. Eu tive vontade de rir, mas o ambiente não estava pra isso. Veja se tem cabimento, sua mãe, uma mulher bonita e elegante, se oferecendo pra aquela feiura mal-educada. Eu só pensava comigo: olha pra um e olha pro outro, que você vê a verdade pular na sua frente. Não é que uma pessoa feia não possa rejeitar uma pessoa bonita... Pode. Desde que não seja o seu Dantas. Eu não tenho nada com isso, que Deus o tenha no lugar justo, mas seu Dantas não prestava. Dona Esmeralda viu a verdade pular na frente dela e não conseguiu desviar. Mas foi a conta dela abrir a boca para argumentar que a história estava mal contada pra ele fechar a boca dela com um murro. Você me diga se é possível tolerar uma coisa dessas? Eu não aceito, na minha frente, não! Já fui falando que ele era um bruto, um covarde. Um cavalo mesmo. Uma vez, ele entrou na minha cozinha descendo a mão numa das meninas. Eu taquei nele uma colher de doce quente, e ele veio para cima de mim, eu peguei um caneco de água fervendo e disse: "Se o senhor me encostar a mão, essa água vai arrancar seu couro." Ele mandou eu arrumar minhas malas e ir embora. E eu disse: "Perfeitamente." Tenho dois braços e duas pernas para trabalhar, não preciso ficar onde não me querem. Nunca tive medo da vida, Olívia. Mas dona Esmeralda quase ajoelhou pra eu voltar atrás, e eu fiquei com pena dela e daquele bando de meninas que não tinham nem idade nem expediente pra coisa alguma. Mas, voltando aqui pro nosso assunto, nesse dia que ele bateu em dona Esmeralda, uma coisa horrorosa, na frente das meninas, eu não aguentei, meti meu bedelho outra vez. Ele engrossou pro meu lado, e foi a pobre da dona Esmeralda, com a boca arrebentada, quem apartou nós dois mais uma vez. Se dependesse de mim, eu acabava o trabalho que sua mãe começou, arrancava outra lasca daquele homem. Agora, o que veio depois, Olívia, me deixou mais furiosa do que tudo. Foi dona Esmeralda encher o peito e passar a falar orgulhosa, com aquela boca toda arrebentada, pra quem quisesse ouvir, que a sua mãe deu de cima do homem dela, e que ele não quis nada, "preferiu ficar com a sua pedrinha preciosa". E estufava o peito. E foi insistindo nessa intriga, convidando gente pra comer broa só para dar corda pra essa conversa fiada de seu Dantas. Até o dia em que sua mãe apareceu aqui pra pôr os pingos nos is. Eu achei foi que sua mãe demorou, mas ainda bem que não faltou. Quando a campainha tocou, eu estava na cozinha lavando a louça. Para lavar louça eu gosto de pegar um caneco de água quente, pôr um monte de sabão dentro para derreter. Faço um caldo encorpado de água com sabão, e aquilo dá uma espuma boa que eu vou passando nos copos, nos pratos, rende que é uma beleza, e eu fico ali naquela fuzarca, achando uma bondade deslizar a bucha ensaboada nas vasilhas. Mas a campainha tocou, e me deu aquela aflição de ir atender rápido. Campainha quando toca, se a gente demora, ou a pessoa desiste e vai embora, pensando que não tem ninguém em casa, ou dependura a tocar, como se do lado de dentro vivesse um bando de surdos. Num caso ou no outro, dona Esmeralda me descascava do mesmo jeito. Podia ter dez pessoas na sala, do lado da porta, que ninguém abria. Tinha que ser eu. Então fechei a torneira correndo, ainda com as mãos cheias de espuma, e fui abrir a porta. Era sua mãe. Eu pensei de cara que aquela visita não ia prestar, mas você sabe que sua mãe a gente não barra na entrada de lugar nenhum. Oh, mulher feita por Deus, quem dera eu fosse uma unhazinha de nada dela! Não é inveja, não, é deslumbre mesmo. Ela não tinha um penduricalho pendurado no corpo, o cabelo preso, a roupa simples sem extravagância nenhuma, e mesmo assim era uma beleza. Eu deixei ela na sala e fui passar uma água na mão rápido antes de ir avisar que tinha visita na casa, mas de lá já ouvi dona Esmeralda me chamando numa gagueira de dar dó. Fui correndo acudir. Sua mãe também tentou ajudar. Falou tudo com calma, fina, parecia uma atriz de cinema, muito educada, mas sem voltas, com a firmeza de uma deusa. Mandou dona Esmeralda dar um jeito em Violeta, que andava maltratando você por conta da história mal contada do pai. Oh, minha Nossa Senhora, coisa de criança, viu, Olívia!? Graças a Deus, já passou e deu tudo certo. Mas, voltando aqui pro nosso assunto: quando sua mãe, antes de ir embora, deixou claro que o céu ia desabar domingo na missa, caso dona Esmeralda não desse um jeito em Violeta, é que o drama de verdade começou. Não sei se você sabe que Violeta e dona Esmeralda não se bicavam. Nunca se bicaram. Era cada uma pro seu lado desde que a menina se enfiou na barriga da mãe. Violeta é a filha caçula de dona Esmeralda, você sabe, a última de seis filhas. Pois dona Esmeralda queria ver o capeta, mas não queria ter outro filho, quando ficou grávida. Eu não entendo como uma mulher fica grávida sem querer, só se for à força, e vai ver que era, não duvido nada, mas... também não é da minha conta. Eu sei que ela amaldiçoou essa menina nove meses. A coitada acabou nascendo, porque depois de nove meses nasce mesmo, não tem jeito, e ficou por aí, largada. Seu Dantas, que tratava todo mundo mal, tinha pelo menos a consideração de tratar a menina como tratava as outras. Mas dona Esmeralda não sabia despistar, fazia diferença mesmo. Uma maldade. Eu ficava danada, me dava muita dó. Mas, voltando aqui pro nosso assunto: quando sua mãe exigiu que dona Esmeralda desse um jeito em Violeta, o tempo fechou, porque a menina não tinha boa vontade com a mãe. Dona Esmeralda ficou foi apertada: como é que ia fazer Violeta obedecer, voltar atrás na intriga que ela mesma, dona Esmeralda, vinha fazendo e que Violeta estava usando para espezinhar você? Como ia convencer a filha a fazer o que ela queria, se as duas viviam em pé de guerra? Eu fiquei só assistindo para ver onde a coisa ia dar. Chegou domingo, dona Esmeralda estava surtada, sem sossego nenhum, e eu não estava vendo nenhuma providência sendo tomada. Deu uma certa hora, ela catou Violeta pelo braço e arrancou a menina de casa arrastada. O resto você sabe, melhor do que eu, porque estava lá. O que eu sei é que, quando voltaram para casa, a menina chegou toda machucada e botou a boca no trombone, denunciando a mãe para o pai. Você não acredita, mas eu acho que no fim das contas as linhas tortas de Deus funcionaram como nunca. Porque na hora em que seu Dantas partiu para cima de dona Esmeralda, tirando satisfação na brutalidade, a mulher estava tão exausta, mas tão exausta, que deu nela uma coragem do diabo. Sabe quando alguém aponta uma arma para a sua cabeça e você diz: atira!? Pois foi isso que ela fez. Ela olhou pra ele cega de raiva e disse: bate, bate, Dantas, bate pra matar, porque, se eu não morrer, um dia desses você vai acordar capado. E foi se trancar no banheiro e chorar a desgraceira de vida que tinha. Ninguém nunca mais tocou no assunto aqui nesta casa, e foi isso o que aconteceu. Agora você veja como são as coisas: quem é a filha que cuida de dona Esmeralda hoje? Pois é Violeta, as outras viraram visita. Até trocar a fralda da mãe essa menina troca. Dona Esmeralda, já sem juízo nenhum, continua falando cada desaforo, como se tivesse juntado tudo que engoliu a vida inteira para cuspir em Violeta. Mas ela não se amola, sabe que a mãe tá caducando, você precisa de ver o carinho que essa menina tem com ela.

    E assim Inácia foi falando sem parar, Biá, mudando de um assunto para outro, alegre de ter com quem conversar. E eu, a essa altura, só pensava em você dizendo que, talvez, Violeta não passasse de uma flor. Quem diria que a vida daria um jeito nela, né?, perguntei quase sem fôlego depois daquele relato sem pausas.

    — Um jeito ou um safanão! — disse Biá, que me ouvia atenta. E, sem pestanejar, mudou de assunto. — Sabe que posso segurar em sua mão, Olívia, quando você quiser ir até a casa de Rita contar tudo o que aconteceu? Talvez você não tenha ido falar com Luciana, dessa vez, por falta de uma mão para segurar. E, se não foi isso, fico aqui pensando comigo: que diabos você foi fazer na sua antiga rua, onde nem sua velha casa mora mais?

— Acho que fui procurar Rita... e eu, mas só encontrei saudade.

— Melancolia é o nome da saudade sem esperança.

— Então foi com ela que me encontrei.

— E é com ela que tenho vivido — disse Biá. E, com olhos subitamente travessos, disparou em minha direção: — Nós duas, Olívia, eu e você, estamos igualmente fo-di-das.

Não pude conter uma risada sonora ao ouvir Biá soletrando "fodidas" com sua boca letrada e mãos regentes pontuando sílaba por sílaba.

— Sabe que você tem razão, Biá — falei, ainda rindo —, quando diz que só na boca de uma senhora de sua idade a vulgaridade beira a perfeição?

— Quem disse isso? — perguntou ela, desentendida.

— Você!

— Tem certeza de que não foi alguém mais parrudo? Dostoiévski, Tolstói, um russo sábio?

Então nós rimos juntas, nos sentindo mais próximas do que nunca.

— Eu também fiz uma coisa que preciso te contar — disse Biá, ainda com alegria no rosto.

— Uma loucura?

— Uma beleza de loucura! Fui conhecer a casa de Rita.

— A casa de Rita? Como assim, Biá? — perguntei, visivelmente desconfortável.

— Fui atrás da tal parede de azulejos feita com bico de pena que a mãe dela pintou. Desde que você me falou dessa parede, tive vontade de ir lá, ver de perto. Confiei em minhas anotações, que costumam ser muito mais confiáveis do que minha memória, e fui. Ainda bem que fui.

— Foi como?

— De táxi.

— Mas você não sabia onde era.

— Floresta, rua da igreja, casa com um gramado na frente e alpendre com grandes pilastras. Bati o interfone, e uma moça atendeu. Eu disse que conhecia Rita e tinha ido ver a parede de azulejos pintada pela mãe dela. Ela demorou um pouco, mas veio abrir a porta. Quando me viu, estranhou eu ser tão velha. Fingi não notar sua testa enrugada em caricata interrogação. Ela me levou para ver a parede, quase contrariada.

— E aí?

— E aí pude compreender o que você sentia dentro daquela casa. Pude amar o que você amava, Olívia. Você tão pequena diante daquela parede. Chorei, a ponto da moça, já não me lembro do nome dela, oferecer uma cadeira para que eu me sentasse e um pouco de água. Pensou que eu estivesse sofrendo e ficou com pena de mim, sem saber que eu estava vivendo um daqueles momentos em que a vida diz: "Viu como foi bom esperar?" Como eu vivi tantas vezes ao ler certos livros... a ponto de acordar Teodoro de madrugada. São momentos que me arremessam para além desses dias insignificantes, espremidos entre comer e defecar, dormir e me atrasar, xingar e sentir dores. Fui tomada pelo extraordinário, e você também foi, quando ainda era tão pequena. Posso imaginar seus olhinhos verdes faiscando. Posso imaginá-los se alargando para deixar sua alma partir, como quem se liberta da morte. Daqui para a frente, quando ouvir sua história, Olívia, vou poder entrar naquela casa com você.

Eu ainda estava atordoada com Biá ter ido conhecer a casa de Rita. Estranhamente invadida com a liberdade que ela tomara. Mas só consegui perguntar:

— Você conheceu Luciana?

— Não. Há dias ela não sai do quarto. Rita faz muita falta.

Rita faz muita falta... muita, muita falta. Senti uma vontade incontrolável de chorar. Apenas me despedi e fui embora.

Anotações de Biá

Olívia, minha querida Olívia, começando a sofrer tão cedo, dará tempo demais ao sofrimento. Será que você não vê que não fez nada? Confie um pouco nesses seus olhos coloridos. Por que não toma para si o lugar de quem foi ofendida e não o de quem deve se desculpar? Saiba que só você pode se recusar a ir para trás daquele portão, assim como pode se recusar a ir para qualquer lugar frio e estreito.

A dor de Rita era de Rita. Foi como pisar sem querer em um pé quebrado, não foi você quem o quebrou, embora tenha feito doer a dor que já estava lá. Essa moça tinha certeza incondicional de que você escolheria sempre estar ao lado dela. Não suportou duvidar. Enquanto você mesma nunca duvidou! Você apenas não viu, e se não viu, não se culpe. Quando a gente faz o mal, sabe. O mal não é coisa de distraído. Embora a dor a gente possa provocar até dormindo.

E isso é tudo o que posso dizer, sendo, portanto, o que direi. Tenho em mim mais este silêncio a ser defendido. Não por avareza ou má vontade, acredite. Há descobertas que só prestam se forem feitas por nós mesmos. Não devo atrapalhar. Será fácil me calar, já não travo lutas para ocultar nada, só para lembrar. Sendo assim, é prudente que eu anote: acredito no silêncio, não no esquecimento.

9º encontro

Passei um domingo sem ir à banca do Rodolfo, olhando para o teto, num enorme e descabido tédio. Não queria me encontrar com Biá, ainda estava irritada com a visita que ela fizera à casa de Rita. O tempo fechado e escuro, em completa harmonia com minha alma, jogou-me para debaixo das cobertas. Olhei horas para o nada, com pensamentos sonâmbulos. Meu último encontro com Rita ainda me castigava. Sua volta breve e devastadora, a distância... tão perto, tão ao meu alcance... Aquilo me mortificava. Há muitos anos eu vivia sem ela. Na prática, nada mudaria em minha vida, eu apenas continuaria a viver sem Rita. Mas agora ia arrastar comigo nossa tragédia. Acabei sentindo falta de conversar com Biá. Repetir e repetir tudo aquilo diante dos olhos acesos da loucura lúcida. Repetir, em busca de um som mutante que me levasse a um lugar ainda não visitado. Então, no domingo seguinte, fui vê-la. Ela chegou na banca antes de mim, e, quando cheguei, já estava aflita com minha demora.

— Pensei que você não viesse mais — foi a primeira coisa que disse, antes mesmo que eu me sentasse. — Que bom que você veio.

— Boa tarde, Biá, como vai você? — brinquei, em explícita referência ao pito que levara dias antes quando me aproximei sem nenhuma formalidade.

Mas ela apenas insistiu:

— Pensei que você não viesse mais.

— Semana passada eu achei que ia chover, Biá, por isso não vim. Você esteve aqui?

— Eu sempre estou aqui. Pensei que você não viria hoje, que bom que você veio — repetiu.

— Pois cá estou eu, Biá. Como você está elegante!

— Tem razão — ela passou as mãos no vestido bordado —, nunca estive tão triste. — Depois de se calar por um tempo, repetiu: — Pensei que você não viesse, Olívia... que bom que você veio.

— É claro que eu vim! O que está acontecendo, Biá? — perguntei, começando a me preocupar com toda aquela repetição, sentindo um peso diferente no ar.

— Não consigo me lembrar. Afastei todo mundo. Pensei que tinha afastado você também. Pensei que você não viesse mais... que bom, meu Deus, que bom que você veio — repetiu mais uma vez, buscando minhas mãos com uma leve tremura no queixo. — Com você não tenho vontade de ficar sozinha. Antes eu tinha, por isso fiz tanto barulho. Digo ao meu neto: "Ande na rua falando sozinho, gritando e gesticulando os braços, ninguém chegará perto, você estará seguro." Todos temem a loucura. Essa contagem regressiva está avacalhando o tempo que me resta. Que coisa horrorosa é ter fim. Meu plano de me ater ao desimportante não está funcionando, sabe por quê? Não paro de contabilizar meus dias. Não sei mais viver sem pensar que vai acabar. Tanto faz tomar banho, vai acabar. Tanto faz mastigar a comida, vai acabar. Tanto faz não quebrar o copo, não ofender o vizinho, não abaixar as calças e escorrer em público. Tanto faz voltar para casa e aguentar os móveis me acusando, as panelas me acusando, o espelho me acusando, o muro entre mim e minha filha me acusando: "Sinceramente, isso é tudo, dona Emma, o que a senhora pôde ser nessa vida? Esperávamos mais!" Isso é tudo. É absolutamente tudo. Não dá mais tempo para nada. Só a menina que trabalha lá em casa ainda não entendeu que está encerrado e insiste em ter um projeto pedagógico para os meus últimos dias. Quer me ensinar a vivê-los. "Vamos arrumar sua caminha bem direitinho, a senhora puxa daí e eu daqui... isso... não tem nada que faça mais bem do que dormir em uma caminha esticadinha. Vamos tomar um banhozinho bem morninho, que banho quente abaixa a pressão e não podemos com essas baixarias... ha ha ha!" Ela não entende que só fiquei velha, não retardada. É tanto diminutivo que ela usa comigo, que tenho vontade de chupar um bico. Você ri? Pois grave o grave de minha voz dizendo em primeira mão o que eu nunca tive coragem de dizer a ninguém, nem a mim mesma: eu de-sis-ti. É a pura verdade. Não volto atrás nessa confissão: desisti. Não agora, há muito tempo, quando ele foi embora, o Teodoro, pai de minha filha. Como eu pude ser tão covarde? Não ouvir foi o pior. Louca de vez, rompo com essa nitidez que ainda me tortura. Sabe a última coisa que eu disse para ele? "Vá." Enquanto ele me olhava com olhos tão conhecidos. "Vá", eu disse, com a coragem insensível dos que se agarram ao que deve ser feito. E com que dignidade eu disse "Vá", cheia de ar no pulmão, orgulhosa de minha moral acima de tudo. Eu disse: "Vá." E ele se foi.

— Para onde ele foi, onde ele está agora, Biá?

Ela não me respondeu, foi para dentro de suas lembranças e por lá ficou, apenas balançando a cabeça, ora sim, ora não, como se travasse um combate consigo mesma. Quando emergiu, já foi tendo comigo outra conversa.

— Eu bem sei o que você quer de mim, Olívia.

— E o que eu quero de você, Biá? — perguntei, paciente.

— Você anda atrás de uma pista, não é? Você quer a minha vidência do seu passado, é isso que você espera? Logo você, que tem olhos tão belos. Vidência de passado, menina Olívia? És mais louca do que eu?! Acaso não estavas lá? Agarrada aos teus dias, vendo tudo acontecer com teus mais de cinco sentidos?

— Mais de cinco? Sou tão rica? — brinquei, tentando amenizar uma certa rispidez que começava a crescer.

— Claro! Acaso não estranhastes nada? Não intuístes? Não vibraram tuas fibras? Que nome dás ao sentido que esquenta e esfria tua nuca?

— Não estou entendendo, Biá.

— Por que Rita não quis mais você na vida dela? Arrisque uma teoria!

— Não sei.

— Você não estava lá?

— Eu estava lá, Biá, mas não sei. Seja lá o que for, me escapou. Não sei o que aconteceu... eu me envolvi com Catarina... penso, às vezes, que foi por ciúmes. Rita não tolerou que eu me tornasse amiga da irmã dela.

— Acredite, não foi nada que você fez!

— Foi o que, então?

— Pense.

— Fale.

— O que você quer de mim? — Biá começou a ficar aflita. — Pensei que você não vinha...

— Eu estava lá e mesmo assim não sei. Não sei de verdade o que aconteceu, você consegue entender? Não sei.

— Oh, Olívia... — disse, consternada. — Me perdoe... Eu sei o quanto dói não entender o que acontece, mesmo estando lá. Estando lá é o pior jeito de não ver. Podem sempre jurar que vimos.

Minha filha jura que eu vi. E ela tem razão, eu vi, embora não acreditar no que vemos seja também um jeito de não ver.

— Não acho justo que você não diga para sua filha o que aconteceu, Biá. Assim como não acho justo que Rita não me tenha dito. Não consigo compreender como uma amizade acaba sem uma explicação, apenas isso.

Biá fechou os olhos e respirou fundo. Quando falou, parecia outra pessoa:

— Não busque explicação, Olívia, a vida não se presta a esse didatismo. Você é como minha filha, se agarrou no direito a uma explicação, e o resto que se dane. Gastei anos imobilizada, e agora que quero correr tenho varizes. Entende? O amor acaba. O amor, às vezes, acaba mesmo sendo amado. O amor às vezes vai embora com as pernas de alguém que você queria que ficasse. Vai embora assim numa manhã de segunda como quem vai trabalhar. Veja você aqui, gastando seu tempo comigo! Seus olhos são generosos quando me olham atentos... Tenho medo de que você descubra que não posso dar respostas... e aí não virá mais. — Então ela apertou minhas mãos e prosseguiu, aflita: — Não desista de mim, por favor, mesmo que eu não possa aliviar suas angústias. Há muito não sei lidar com as minhas. Há muito Teodoro se foi. Em agosto. Meu desgosto. E não há rima que me distraia dessa dor. Nós estávamos juntos há muitos anos, ele levou nossa filha à escola e se foi.

Aquilo calou Biá. Apenas os chiados de seu silêncio, seus sons indizíveis vinham à tona. Assisti comovida à lentidão de sua dor.

— Não chore assim, minha querida. — Meu coração se encheu de ternura. — Conte para mim o que aconteceu. Por que ele foi embora, Biá? Ele se apaixonou por outra pessoa?

— Quando ele foi embora, houve uma hora precisa... em que ele estava de partida e de parte que não sabia ir, aos pedaços. Há muito lutávamos, eu e ele. Fui eu quem disse: "Vá." Somos felizes, Olívia, até o dia em que deixamos de ser. Aí notamos que a felicidade não é uma coisa abstrata, nem poética, nem complexa. Ela apenas está lá disponível e é sobretudo a ausência do irreversível. Mais cedo ou mais tarde acontece o que não pode ser desfeito. Você acorda e pensa: até ontem eu era feliz, e sabe que isso não terá mais conserto. Nada a fazer. O cachorro morde. O cachorro fere na mordida. A carne se rasga na mordida. A fome se mata na mordida. O sangue escorre na mordida. Os dentes se encostam na mordida. As marcas se fazem na mordida. Nada a fazer. A natureza da mordida está lá. Não importa o quanto sejamos civilizados. A natureza da mordida é implacável, e o gato arranha. O rato rói. O homem sonha. E os sonhos não podem ser dominados. E eu disse: "Vá."

— Eu não entendo, Biá, você mandou embora o grande amor de sua vida, o homem que em nada te desagradava, o pai de sua filha? Por quê?

— Porque ele era um homem bom.

Biá, então, se levantou, torturada pela lucidez. Virou-me as costas e saiu andando. Foi embora. Lá da esquina gritou como se, mais uma vez, fosse outra: "Olívia, acredite com seus olhos verdes: só nos resta tocar um tango argentino."

Anotações de Biá

    Teo, tenho saudades. Não precisa girar o ombro assim, nervoso, como sempre fez. Tenho saudades, e ponto. Não quero que você volte. Não quero ir ao seu encontro. Sei que você será sempre esse aperto no meu peito. Esse lugar vazio. Sei que o nosso amor nos falta aos dois. Sinto a sua ausência em minhas fibras, que se deformaram como um elástico que jamais voltará a ser o que foi. É triste arrastar as sequelas de um amor pelo resto da vida. Hoje sou a pessoa depois que fomos nós. Não há um dia sequer em que eu não me lembre de que quase seguimos juntos até aonde a vida fosse. Você sabe que felicidade é uma palavra que prefiro deixar de fora de meus textos, é ingênua demais a quem já viveu demais. Mas, vendo de longe, é essa palavra que escolho para falar de nós. Concordamos que você iria, fique tranquilo, eu não o culpo. Não me culpe também, não pude deixar de levar a sério. Quando você se despediu para ficar, eu disse: "Vá." Decidida. Melhor seria dizer "decindida", pelo cabo de guerra que me partia ao meio. Daquele dia em diante eu viveria me confundindo com minha loucura.

Você é o pai de minha filha, Teodoro. "Te adoro" era como eu o chamava todas as manhãs ao acordá-lo. Seu despertador era minha declaração de amor, seguida de beijos em sua pele morna, próximo aos ouvidos, fazendo seu corpo arrepiar sob meus dedos. Eu fazia letras; você, fotografias. Sempre gostei mais de poesia e prosa; e você, de paisagens. Uma vez eu o acordei de madrugada para ler um trecho de um livro que acabara de me arrebatar, e não me deixava dormir. Explodiu em mim uma fé no ser humano, na beleza que é viver, mesmo tendo adiante o desfecho da morte, viver e escrever coisas como aquela. Você se sentou na cama e ouviu. Inebriado de sono, os olhos mal abertos, repetiu baixinho, para si mesmo, a frase que eu acabara de recitar: cê vai, ocê fique. Você nunca volte. Sem alcançar os motivos que me lançavam em tal epifania, você disse:

— Não entendo o que te impressiona tanto nessa frase... a essa hora da madrugada... — e abriu a boca num imenso bocejo.

— Não é a frase — falei entusiasmada —, é existir alguém capaz de escrevê-la. Alguém capaz de dizer tão imensamente mais do que escreve. O homem está indo embora em sua canoa, decidiu passar o resto da vida no meio do rio, e a mulher dele, Teo, apenas diz: cê vai, ocê fique, você nunca volte. Você não sente a distância entre eles aumentando dolorosamente a cada letra? Cada letra diminuindo a intimidade?

E você fechou os olhos, e eu já não sabia mais se você dormia ou sentia. E então você disse uma das coisas que peço, todos os dias, para não esquecer:

— Sinto que esse homem pra sempre no meio do rio, esse rio largo com jeito de mar, em sua canoa sem movimento mais forte do que a correnteza, pois o rio é manso e lento... esse homem distante, mas diante dos que o amam... sinto... que posso fotografar a solidão. — E abrindo os olhos ainda me disse: — É lindo ver você sair de si.

E então nós nos olhamos, e você pediu que eu afastasse a renda da minha camisola e te mostrasse meus seios. E eu obedeci, e nós fizemos amor. Porque nosso amor sempre foi mais poderoso do que seu sono. Só os sonhos tiveram mais poder do que nosso amor. E saiba agora, por meus lábios, que lhe ofereci meus seios mesmo você estando errado, Teo, porque os livros nunca me tiraram de mim, sempre me devolveram a mim. Algumas coisas que li não se contentaram com minha memória, caíram no meu sistema digestivo, e eu as incorporei como a um bom bife. A ponto de não saber mais se são minhas as palavras que digo ou se eu deveria viver entre aspas. Hoje, apenas sei que, se nos encontrarmos, Teo, não poderei mais chamá-lo de "você". Eu o chamarei de "senhor".

E é preciso que eu ainda diga, antes de me calar: no pulso de nossa filha, ela gravou números como os de uma prisioneira. Ela pensa que são o segredo de um cofre que, ao ser aberto, lhe devolverão a riqueza de uma vida roubada. O que fizemos com nossa menina, Teo?

10º encontro

— Estou com os nervos desencapados, capaz de eletrocutar alguém! — disse Biá, vestida de preto dos pés à cabeça.

Tinha os cabelos impecáveis em um coque baixo. O rosto marcado sob um véu de serenidade, que em muito destoava do que acabara de dizer.

— O que aconteceu, Biá?

— Hoje? Nada. Talvez ontem. Talvez há muitos anos! Luto. Todos os dias luto, Olívia, meu arco-íris. E essa luta de que saio esfarrapada é de todos os instantes. Desconfio que há muita estupidez em tudo isso. Acordei pensando tanto em Irene, uma cliente que tive... não faço ideia de por onde anda, nem se ainda vive. Ela costumava dizer que estava com os nervos desencapados. Não é uma bela imagem?

Foi um fio de terra úmida que a salvou literalmente. Irene era uma artista autodidata, arrancava do barro cada boneca viva de cair o queixo, todas com uma pequena cicatriz no peito, umas mais profundas, outras quase invisíveis. A família dela era muito pobre, e, não bastasse a miséria, o pai morreu, e o padrasto trouxe para dentro de casa o inferno. Nada menos do que o inferno. Batia, abusava, aprisionava. Amanhecer era brutal. A irmã, mais nova, corajosa, conheceu um rapaz e fugiu com ele. Minha cliente ficou lá, sozinha, enfrentando o monstro todos os dias, debaixo do nariz omisso da mãe, até que a irmã voltou para buscá-la na marra, chutou a porta e carregou Irene só com a roupa do corpo, depois de escarrar na cara da mãe todo seu nojo. Irene, não, Irene saiu tremendo de cabeça baixa. Veio viver aqui. Foi quando a conheci. Comecei a tratar daquele resto de gente, acuada, devastada, incapaz de erguer os olhos e dar volume à voz. Foram muitos encontros de absoluto silêncio, ela com as mãos no barro tentando refazer a si mesma. Irene conheceu a dor, Olívia, não a tristeza elegante. Quando conseguiu falar pela primeira vez, disse que todos nós nascemos com um bucho dependurado, um cotoco de tripa, bem aqui, no esterno do peito, apontava ela, no centro do que somos, na interseção da alma e da carne. Dentro dessa excrescência carnosa lateja um líquido represado, amarelo, pegajoso, feito um pus de inflamação terminal. É o cruel. Uma concentração fétida e diabólica de crueldade. É preciso que alguém lave, seque, cuide, como se cuida de um umbigo, para que o cruel caia seco e inofensivo no chão e se separe de nós. Leva tempo, mais do que uma infância. Quando bem tratado, restará uma cicatriz, que vez ou outra emite suas comichões inofensivas. Eu os reconheço em mim, Olívia. Tenho às vezes vontade de quebrar todos os ovos da cesta, quanto mais delicado for o paninho sobre o qual ela se mostra encantadora; gritar ofensas no silêncio da eucaristia, desconcertando todos os fiéis com seus semblantes orgulhosos de serem bons; empurrar um desconhecido nos trilhos diante do trem que se aproxima. São vontades de libertar a loucura. Lampejos de pensamentos que segundo Irene, nada mais são do que a cicatriz dando ideias que não irão adiante. Passam por nós como os últimos tremores de um membro amputado, sem força nenhuma. Mas quando o cruel inflama, me disse ela, quando não encontra quem ou o que possa extirpá-lo, e é preciso que se diga que jamais nos livramos do cruel sozinhos, ele supura, e sua secreção hedionda avança como uma lava cobrindo cada célula, penetrando nos orifícios, possuindo todas as membranas, até se consolidar como parte inseparável do desgraçado. Para sempre purgará. Faz-se assim o ser cruel que nos envergonhará diante dos animais mais bestiais. Um ser que fará os ateus se ajoelharem e rogarem a Deus que exista. Diante dele, nem lágrimas, nem desespero, nem ranger de dentes, nem argumentos gritados em jatos de saliva e sangue serão considerados. Só o gozo em fazer sofrer.

Quando me lembro de Irene, Olívia, não sei o que fazer comigo. Tenho a sensação de que passeei pelo bosque e vi apenas lenha para fogueiras. Sinto que gastei tanta vida com sofrimentos que não mereciam apelos de misericórdia. Olhe pra mim, não passo de uma velha branca em uma zona sul ensolarada! Devo admitir, não passei fome, não me cobri de farrapos, não me acusaram do que não fiz. Não perdi filhos, não fui roubada, abusada, torturada, escalpelada. Não fui banida. Não estive na guerra. Não me impediram de entrar em nenhum lugar onde tinha o direito de estar. Nenhuma tragédia, nenhuma grande injustiça, nenhum remorso corrosivo. Eu não cruzei com a besta amarela no corpo do nazista que obrigou a pobre coitada daquela mãe, Sofia, a uma falta brutal de escolha, nem com os torturadores que Ivan Karamázov descreve para seu irmão Aliócha com tanta genialidade, que me fez odiar os torturadores e amar a literatura. Se Ivan me perguntasse, eu não concordaria em torturar uma criança inocente para garantir a felicidade de toda a humanidade, lutaria por ela. Acredite, Olívia, sou capaz de amar!

— Eu acredito, Biá, claro que você é — falei, tentando interromper o que me parecia o começo de uma crise.

E Biá, ofegante, com sua fala quase sem pontos, abriu a blusa, mostrando o peito, e vi que estava com olhos cheios de pavor, o peito custando a dar conta de todo ar de que ela parecia precisar. Tive medo de que alguma coisa se arrebentasse dentro dela.

— A cicatriz que carrego no peito é quase invisível, e ainda assim tive a arrogância de pensar que sofria mais do que todos, a ponto de desejar a morte de quem mais amo. Eu não conheci a dor, eu apenas me tornei muito boa em imaginá-la.

— Você conheceu a sua dor, Biá, e para você ela foi imensa.

— Foi. Minha dor foi imensa.

Eu sabia que nem mais uma palavra seria dita. Quando Biá me olhou novamente, tive dúvidas se me reconhecia.

Anotações de Biá

Eu teria ido ao nosso último encontro, Olívia. Teria caminhado de um jeito diferente, os passos mais pesados, menos arrumada do que de costume. Levaria um tormento preso sob a pele do rosto. Ao me sentar, teria os olhos úmidos, e com a voz em linha reta diria palavras sem relevo: "Você não é uma plataforma vazia vendo o trem se afastar. Restam duas pernas com as quais você pode ir: enfrente. Eu, apenas eu, tenho a imobilidade das plataformas, e minhas pernas, varizes. Você entende que não posso mais ir a lugar nenhum? Melhor então é não conversarmos, porque conversar me arrastará a lugares imprevisíveis."

E, tendo dito isso, eu me despediria.

11º encontro

Passei na banca para ver Biá. Fiquei um tempo por lá, e ela não apareceu. Minha intuição de jornalista me inquietou o peito. Pedi notícias a Rodolfo.

— Dona Emma não apareceu hoje, Olívia. Está frio, deve ter arrumado um resfriado. É uma pena, porque consegui um livro que há muito tempo estamos procurando, uma edição de *Os miseráveis* em francês.

— Você conhece ela há muito tempo, não é, Rodolfo?

— Há muitos anos. Essa ideia do sebo aqui na banca começou com ela. Sempre que passava por aqui com o marido, Teodoro, perguntava se eu não conseguiria um ou outro livro fora de edição. Eu comecei a procurar e fui tomando gosto.

— Ela é uma pessoa muito especial. Às vezes... sinto que está mais confusa... fala muito sobre estar ficando louca...

— É o tempo, a idade, né? Mas não acho que seja só... vai saber? Dona Emma é uma senhora muito querida, apaixonada pelos livros, mas teve seus desgostos. Dizem que é... foi uma, psicanalista competente, fechou o consultório há muitos anos. A filha, Teresa...

— Teresa? Não é Dolores?

— Não, é Teresa.

— Ela me disse que era Dolores. Ela tem mais de uma filha?

— Não, só tem a Teresa. De vez em quando ela passa por aqui e me pede uma atenção com a mãe. Dona Emma não aceita, de jeito nenhum, ser acompanhada pela moça que trabalha lá. Vira e mexe eu vejo a cabecinha dela ali na esquina, meio escondida, correndo o olho para ver se está tudo bem. Se dona Emma vê que está sendo vigiada, o tempo fecha, faz um escândalo. A filha teme que ela caia por aí ou que não saiba mais voltar para casa e põe a moça pra tomar conta. Fazer o quê? Eu não sei direito o que aconteceu... o Teodoro foi embora de repente. Dona Emma, dizem, foi abandonada pelo marido, ela e a filha. Mas... a gente nunca sabe como as coisas se passam na intimidade de um casal, de uma família. Teresa era novinha, tinha uns dezesseis anos, ninguém conversa muito claramente sobre o assunto. Eu também não pergunto, fico sem jeito, sei assim meio por alto. Ele era fotógrafo, estava sempre por aqui na banca. Quando ele foi embora, dona Emma também sumiu por muito tempo. Ficou muito abatida, comeu o pão que o diabo amassou por conta da separação. Parece que desanimou de tudo, afetou até o trabalho dela. Hoje está aí, às vezes muito lúcida, é o que parece, às vezes distante... Tem dias que ela cita passagens inteiras de alguns livros, fala dos autores com uma memória impressionante, prodigiosa, completamente normal. Em compensação, tem dias que eu tenho a impressão de que não sabe direito onde está. Teresa até me passou o telefone dela, caso aconteça alguma coisa.

— Ela me disse que se chama Biá, que esse é o seu nome de louca...

— Isso já é invenção, acho que ela confunde as histórias que lê com a realidade. O que eu sei mesmo é que ela gosta muito de você, Olívia. Nunca tinha visto dona Emma conversando com alguém como ela conversa com você. Outro dia ficou aflita porque você não veio.

— Eu também gosto muito dela e das nossas conversas, Rodolfo. Se ela aparecer, por favor, diga que estive aqui e senti falta dela.

— Eu digo.

No domingo seguinte voltei, e Biá também não apareceu. Comecei a ficar preocupada de verdade. Pedi ao Rodolfo o telefone de Teresa e liguei.

12º encontro

O prédio de Biá ficava a pouco mais de um quarteirão da banca de Rodolfo. A rua, que fazia esquina com a da banca, era tranquila, cheia de árvores, mas razoavelmente inclinada, o que me fez achar Biá valente em percorrer aquele caminho todos os domingos. Toquei o interfone. Quem atendeu foi Teresa, que já estava me esperando. O apartamento ficava no térreo. Senti alívio, há anos não entro em elevadores. Ela veio ao meu encontro, muito bem-arrumada, vestida com uma saia lápis preta, de caimento perfeito, camisa branca, salto alto e brincos de pérola que os cabelos presos deixavam ver. Era parecida com a mãe. Certamente Biá fora bonita como ela.

— Oi, Olívia, vamos entrar. Tudo bem?

— Tudo. E você, Teresa?

— Estou um pouco corrida, me desculpe, hoje é um dia apertado para mim, e Diná, a moça que trabalha aqui em casa, está atrasada, mas não deve demorar. Se você não se importar, vou levá-la ao quarto da mamãe.

— Como ela está?

— Na mesma. Distante, sem conversar, sem reagir. O médico esteve aqui, está acompanhando, aparentemente não há nada a fazer, só esperar para ver como evolui.

— Entendi. E o Bento, como está com tudo isso...

— Bento?

— Seu filho... não é Bento o nome dele?

Ela me olhou, sinceramente espantada.

— Filho? Eu não tenho filho, Olívia. Minha mãe disse que eu tenho filho?

— Disse — confirmei, desapontada. — Disse inclusive que parou de trabalhar para cuidar dele...

— Não! Pode acreditar, eu não tenho filho! Desculpe, Olívia, eu adoraria ficar e conversar mais, mas tenho mesmo de ir. Quem sabe nos encontramos outra hora?

— Claro, eu gostaria muito.

E então ela me levou até o quarto de Biá. Um quarto grande, arejado, com uma cama de casal e uma luminária de leitura presa na cabeceira, ao lado uma poltrona confortável sobre um pequeno tapete. Mais afastados, uma mesa com uma cadeira forrada em tecido floral, livros, papéis e canetas bem desorganizados. Muitas anotações feitas à mão espalhadas. Biá estava recostada na cama, com dois travesseiros apoiando as costas. Acima dela, na parede, uma fotografia preta e branca de um pequeno bosque com árvores imensas, tendo ao fundo, no canto direito, quase imperceptível, uma moça sentada sob uma das árvores, lendo um livro, circulada por uma caneta preta de escrever em fotografias. Os olhos de Biá estavam fechados e assim permaneceram quando Teresa me anunciou.

— Olha, mamãe, quem veio ver a senhora. A Olívia, sua amiga.

— Ei, Biá, senti sua falta lá na banca do Rodolfo, vim ver como você está — disse, me aproximando, tentando alguma reação, mas ela permaneceu imóvel.

— Mamãe, eu estou indo trabalhar — disse Teresa, aumentando o volume da voz. — Olívia vai ficar com a senhora, daqui a pouco a Diná chega, está bem?

E deu um beijo carinhoso na testa da mãe, se despediu de mim e saiu.

Eu, ainda um pouco sem graça com a pressa de Teresa, sentei na poltrona ao lado da cama e peguei delicadamente nas mãos de Biá. Ela não me negou as mãos, nem acolheu as minhas, apenas se abandonou, inerte.

— Os domingos estão frios, mas o céu está azul e os dias lindos, Biá, você precisa ver. Os ipês amarelos, meus preferidos, estão floridos, os rosas já se foram, e já, já os brancos vão aparecer. Quero ter a sorte de encontrar um deles pelo caminho, são poucos e rápidos. Podemos pôr nossa mesa ao sol, o que você acha? Eu adoro os dias frios com céu azul e sol. Posso vir te buscar no domingo, e vamos caminhando juntas de braços dados. — Nenhuma reação, apenas a respiração prosseguiu lenta e ritmada. — Rodolfo mandou dizer que encontrou a edição em francês de *Os miseráveis*, como você queria. Está separada para você, mas é melhor não se demorar para buscar, diz ele que é uma preciosidade. — Biá não reagia, e eu continuei emendando um assunto atrás do outro, na esperança de que alguma coisa despertasse seu interesse. — Hoje, tirei a manhã inteira para nós duas, não foi uma boa ideia? Podemos conversar bastante, não vou precisar ir ao jornal agora cedo... achei muito bonito o floral de sua cadeira combinando com o listrado da poltrona. Gosto de flores e listras, sempre gostei, mas é preciso ter bom gosto para combiná-las. Por falar em bom gosto, Biá, como a Teresa parece com você! Tem o mesmo sorriso, o mesmo jeito de andar, o mesmo olhar profundo. Você fala dos meus olhos, mas os seus também são incríveis. Quando te vi pela primeira vez, me lembrei das bonecas japonesas de olhos grandes, amendoados. Um tempo depois, folheando uma revista, vi os quadros de uma artista chamada Margaret Keane, já ouviu falar? Ela pintava retratos de pessoas com olhos imensos e molhados como os seus, comovidos e comoventes. Ah, meu Deus... estou esquecendo o mais importante! Sabe o que eu fiz pra você? Escrevi minha história inteira, pus tudo no papel. No dia em que nos conhecemos eu tinha começado a escrever, lembra? Foi uma espécie de jorro incontrolável, uma comporta aberta às pressas para diminuir a pressão. Aí você me interrompeu, lembra? E eu larguei pra lá. Nossos encontros começaram a me bastar, minha amiga. Mas agora, pus tudo no papel, como se estivéssemos conversando. Eu e você, como sempre fazemos. Você poderá ler quantas vezes quiser, quando tiver vontade de estar comigo e de se lembrar de minha história... — Tirei da bolsa várias folhas impressas de papel ofício grampeadas. — Eis minha vida! Não parece longa?! — E, para minha surpresa, nesse momento, Biá abriu os olhos e me olhou. Fiquei emocionada com o fato de vê-la reagir e continuei falando, animada. — Pus uma letra bem grande pra você ler sem esforço e imprimi só de um lado do papel, por isso está tão grosso. Minha vida mesmo não tem essa bitola toda — brinquei, tentando entregar a ela o maço de folhas. Ela o recusou suavemente, empurrando minha mão. — Você não quer? — perguntei. — Quer que eu leia?

Biá me olhou ainda em silêncio e, sem que dissesse uma só palavra, pude ouvi-la dizendo que sim.

— Eu era tão pequena, Biá! Meus olhos viviam a um pouco mais de um metro do chão quando Rita, a amiga de quem tantas vezes lhe falei, se mudou para a casa em frente à minha, no meio do quarteirão de uma rua de pedras, onde a lua nascia linda ao lado da torre da igreja situada bem na esquina. No exato momento em que ela chegou, eu estava atrás do portão de casa, que me protegia das constantes indelicadezas das meninas da minha idade que não me

queriam por perto. Ali eu passava grande parte do dia, completamente prisioneira da valentia de Violeta, uma menina rude que me perseguiu o quanto pôde durante a minha infância. A sorte é que minha curiosidade sempre foi maior do que meu medo. Eu não queria perder nada, e, mesmo me sentindo exilada, como às vezes ainda me sinto, sem musculatura para enfrentar qualquer hostilidade, eu me instalava ali, a meio palmo de fresta do mundo. Minha mão alerta segurava a quina do portão, meu fiel escudeiro, pronta para fechá-lo se fosse preciso. Vi quando o carro preto parou em frente à casa, e um homem bem-vestido abriu a porta de trás para que Rita descesse. Ela calçava um sapato boneca de couro azul-marinho, usava um vestido do mesmo tom, levemente rodado, feito de um pano salpicado de bolinhas beges, com uma transparência que deixava entrever um forro por baixo, que se estendia para além do comprimento do vestido. Tinha nas mãos uma pequena bolsinha, que jamais esquecerei. Ela parou diante da casa por alguns segundos antes de atravessar a linha da grade, ganhando o gramado. Só então toda aquela elegância deu lugar a uma inesperada euforia. Abriu os braços como um avião prestes a levantar voo e girou o corpo repetidas vezes, encantada com sua nova casa, onde viveria dali em diante.

A casa nova de Rita passou muito tempo abandonada, sem nenhum morador. Era uma casa grande e fora, por muitos anos, para toda a rua, uma casa misteriosa. Nela moravam uma velha senhora e seu filho solteiro. Um homem já mais velho, que a mim impressionava por ser o filho, e não o dono da casa. Educado e gentil, cabeleira farta, bigode imenso, entrava e saía da garagem em um carro vermelho brilhante e barulhento, calças pretas e justas, pernas finas, costas e abdômen largos. E usando uma bota com um belo salto. Um incrível salto, que naquele tempo perturbava demais toda a rua e fazia com que as histórias sobre ele corressem maldosas na vizinhança. As pessoas diziam que ele era bicha. Na época, eu não sabia o que isso significava, mas hoje tenho para mim que aquela casa, de folhagens escuras e janelas constantemente fechadas, fosse um esforço descomunal de sua mãe em esconder a homossexualidade do filho. Dona Yolanda, católica fervorosa, só saía de casa para ir à esquina rezar, sempre vestida com roupas sóbrias e elegantes, cabelo impecável, muito educada e com um caminhar compenetrado para evitar ser abordada mais demoradamente por qualquer vizinho. Quando ela morreu, o filho se mudou sem fazer barulho. Não sei se inventei, mas me lembro de vê-lo sem as botas e muito triste.

Por muito tempo a folhagem cresceu livre e sem cuidados, tornando-se uma quase mata que escondia selvagem o casarão cor de abóbora escura. Até que um dia uns homens chegaram, cortando árvores, descascando paredes, quebrando o chão, correndo tinta, e vimos, diante dos nossos olhos maravilhados, surgir, em pouco tempo, uma linda casa branca no fundo do lote. Uma pequena escada de três largos degraus dava em um alpendre de pé-direito alto, que exibia altivo suas pilastras arredondadas. Por toda a extensão da casa, janelas. Muitas janelas abertas, com leves cortinas flutuando conforme o vento. Na frente, uma grande árvore restou imperiosa, com sua imensa sombra reinando absoluta no jardim. Todas as outras deram lugar a um extenso e bem-cuidado gramado.

Foi nesse gramado que Rita sobrevoou com os braços abertos e piruetas, tantas piruetas que se estatelou no chão, rindo a valer. Eu, embalada por seus giros cada vez mais velozes, hipnotizada pela bolsinha brilhante pendurada na ponta dos dedos, me esqueci de meu prudente exílio e fui alargando meu palmo de fresta, até me mostrar inteira no portão. E quando ela, no chão, recuperou o prumo, pondo no eixo céu e terra, seus olhos deram de cara, Biá, com os meus. Fui a primeira pessoa que Rita viu quando chegou, um delicado prefácio do que estava por vir foi escrito ali. Naquele momento, soubemos que seríamos amigas. Ela se levantou ainda sem confiar no próprio equilíbrio e fez um sinal, um breve aceno, como se coubesse a ela, e não a mim, dar as boas-vindas. Eu retribuí, timidamente encantada, sem acreditar que tamanha cordialidade se dirigia a mim. Mas minha alegria durou pouco, muito pouco, porque logo vi Violeta, cercada por seu bando de submissas, se aproximar da grade a tempo de ver que eu e Rita vivíamos nosso primeiro encontro. Violeta chegou querendo medir força. Você bem sabe, Biá, o quanto podem ser cruéis as meninas quando se juntam para deixar alguém de fora, sabem destroçar um coração. E, antes que eu me enfiasse novamente atrás do portão, pude ver Rita ser convidada a brincar com elas, e pude ver também Violeta me olhar de queixo levantado, exibindo sua força, ao mesmo tempo que me deixava ver, no canto duro da boca, suas ameaças.

Rita não foi brincar, recusou o convite naquele primeiro dia. Entrou em casa e, logo que desapareceu, um estrondo seco e metálico me fez tremer. Era uma pedrada no meu portão, um recado de Violeta mandando que eu me mantivesse distante da nova moradora. Acontece, Biá, que nem o meu medo de Violeta, nem a própria Violeta, podiam mudar o fato de que eu, e não ela, morava em frente àquela casa, que se transformara de uma hora para outra num palácio onde vivia uma princesa. Pela primeira vez na vida eu levava uma grande vantagem que Violeta não podia tirar de mim, nem se jogasse mil pedras no meu portão.

A brincadeira preferida das meninas era o teatro. Na época, estava passando na TV a novela Escrava Isaura, e a diversão era imitar os momentos mais sofridos da escrava branca e os mais cruéis de seu carrasco, o insuportável sr. Leôncio. Era sagrado acompanhar a novela, todos os dias ao entardecer, para saber copiar as cenas e em seguida ir para rua representá-las. Você se lembra, Biá? Isaura foi interpretada pela atriz Lucélia Santos, que tinha um jeito de sofrer mantendo os olhos inquietos pulando de um lado pro outro, como quem não sabe nunca o que fazer com tanta desgraça. A novela era uma comoção nacional. Minha avó mesmo, que morava no interior, fazia novenas para que Isaura fosse libertada e se livrasse de seu cruel algoz. Chorava diante da TV e dizia, inconformada, ter dó demais de uma moça tão branquinha ser escrava. Coitada das negrinhas, comiam do mesmo pão que o diabo amassou para Isaura, até mais pisoteado, mas minha avó não acendia nem uma vela por elas, nem rezava, nem chorava, nem se dava conta de que também sofriam. Muito menos eu. Só Isaura interessava, e eu sabia imitar direitinho os trejeitos dela. Mas de nada me servia tanto talento. Meus sofridos olhinhos verdes, pulando de um lado para o outro, estavam desperdiçados, porque meu lugar era atrás do portão, sempre atrás do portão, bem longe do palco onde tudo acontecia. E mesmo assim, Biá, eu adorava. Eu acompanhava cada cena recitando baixinho e antecipando as falas dos personagens. Depois que Rita chegou, meu portão passou a ser o melhor lugar da plateia, porque tudo se desenrolava ali, bem em frente à sua casa e, para a minha alegria, bem em frente à minha.

Rita chegou devagar, mas as mudanças que provocou foram imediatas. As meninas se empenhavam o tempo todo em parecer interessantes aos olhos dela. Queriam fazer bonito. Cada gesto, cada tom de voz, cada ato de valentia eram seguidos de um olhar em busca de aprovação. Nos primeiros dias, ela não quis entrar na brincadeira. Ficava por ali, olhava as meninas encenando, às vezes ria, às vezes batia palmas, mas sempre um pouco de fora. Violeta não demorou a entender que com Rita as coisas seriam diferentes e passou a se esforçar descaradamente, mais do que todas as outras, para parecer uma garota fina e bem-educada. Arrumou um português emperiquitado que mais parecia um ovo na boca, cheio de você "gostaria", "poderia", "quereria"! Oferecia todo tipo de agrado: "Se você gostaria, Rita, poderia fazer a Isaura." Mas Rita agradecia e continuava só fazendo o que queria. Dava atenção igual a todo mundo e, para desespero de Violeta, nenhuma atenção especial a ela.

Com o passar dos dias, Rita foi se entrosando e acabou entrando de verdade na brincadeira, protagonizando as cenas de Isaura no tronco, Isaura fugindo, Isaura se afogando em lágrimas. Levava a sério suas entradas, projetava a voz, e ninguém dava um pio quando ela entrava em cena. Mas quando Violeta fazia as vezes de Leôncio, papel que a meu ver lhe caía muitíssimo bem, Rita se dispersava, olhava para o céu, tombava o corpo segurando a grade, se equilibrava na beirada do meio-fio. E foi numa dessas vezes que ela me viu, metade fora, metade atrás do portão. Atravessou a rua e veio em minha direção como se não houvesse uma cena em andamento. Veio ter comigo como se não existisse Violeta, em plena ação, dando o melhor de si.

Eu e Rita nunca tínhamos conversado, mas, sempre que nos víamos, indo ou chegando da escola, entrando ou saindo de casa, nos cumprimentávamos. Ela fazia um movimento, e eu respondia imitando exatamente o mesmo movimento. Talvez por falta de coragem, eu não ousava fazer nada diferente do que ela fazia. Se ela dava tchau, eu dava tchau. Se só acenava com a cabeça, eu só acenava com a cabeça. Logo Rita, gaiatamente, percebendo minha macaquice, começou a experimentar maneiras menos usuais para dizer "oi" de longe. E eu fui atrás. Ela fazia uma ondinha com as mãos, eu respondia com uma ondinha. Ela dava um soco no ar, eu dava um soco no ar. Começou de um jeito espontâneo e foi se tornando um ritual divertido entre nós. Nunca tínhamos conversado, nem sei se ela sabia meu nome, mas aquela cumplicidade estabelecida sem nenhuma palavra de alguma maneira nos aproximou.

Mesmo assim, e talvez por isso mesmo, por ser uma espécie de segredo que nós duas compartilhávamos, eu tenha tomado um susto quando Rita começou a caminhar na minha direção. Senti que ela colocava em risco algo precioso para mim. Fiquei muito nervosa, *sem entender se o que acontecia era bom ou ruim. Eu lutava comigo mesma, tentando não fechar o portão e ao mesmo tempo tentando fechá-lo, completamente imobilizada. Mas, antes que alguma atitude rompesse com minha aflitiva paralisação, ouvi o grito de Violeta, que mais uma vez tomava para si as decisões de minha vida:*

— A gente não brinca com ela, a gente não brinca com ela de jeito nenhum!

Não bastasse o grito, Violeta, que segundos antes açoitava uma das meninas no tronco do outro lado da rua, correu em nossa direção, pegou no braço de Rita, enérgica, e a puxou de volta. Eu não fiquei até o fim para ver o que veio depois, fechei o portão com o coração disparado, subi correndo para o meu quarto, deitei no escuro e chorei, chorei baixinho para minha mãe não ouvir.

Demorei a dormir, a noite me pareceu imensa. Aquela tristeza era maior do que eu. Eu me sentia solta em um espaço gigante, sem som e escuro, como se estivesse sendo tragada para um outro mundo. Eu me encolhia na cama e sentia frio, meus pés não esquentavam por nada. Ainda hoje, quando tenho muito medo, meus pés esfriam e minha nuca esquenta, minha temperatura se desarranja. Sempre me lembro daquela noite e reconheço nela meu jeito de sentir medo. Tive medo do que não vi, do que se passou depois que fechei o portão. Medo do que Violeta teria dito a Rita sobre mim. Medo de que ela fizesse Rita me expulsar de sua vida. Medo de passar a ver Rita do outro lado da rua sem que ela nunca mais me visse. Medo de que Rita fosse, como as outras meninas, obediente.

No dia seguinte, quando saí de casa, Rita não estava por lá. Fiquei frustrada e aliviada ao mesmo tempo. Queria saber se estava tudo bem, mas não queria saber se estivesse tudo mal. Melhor era adiar o quanto fosse possível a certeza de que Rita passaria a me ignorar. E, por sorte ou azar, ficamos alguns dias sem nos ver. Quando chegava a noite, eu não tinha coragem de abrir o portão e espiar as meninas brincando. Quando a novela acabava, eu subia para o meu quarto e ficava ali sofrendo mais do que Isaura, sentindo na própria pele o peso da injustiça. Punha meus olhinhos pulando de um lado para o outro, mas não precisava mais fingir que sofria. Eu sofria.

Até que uma manhã eu e Rita demos de cara uma com a outra. Eu prendi a respiração. Ela, não. Ela imediatamente girou para a direita e bateu uma palma, girou para a esquerda e mais uma palma. Rita praticamente dançou, Biá, dançou para me dizer que estava tudo bem. Eu reagi mais depressa do que de costume, nem sei de onde tirei coragem para aqueles movimentos tão largos, girei pra cá, girei pra lá, bati palmas e disse com toda força do meu coração o quanto eu já gostava dela.

Na mesma noite voltei para trás do portão, e meu meio palmo de fresta, àquela altura, me pareceu o melhor lugar do mundo: eu estava na primeira fila. A novela pegando fogo, momentos decisivos, fugas, resgates, o bem e o mal numa feroz queda de braço. Eu tinha ficado todos aqueles dias sem assistir à brincadeira na rua. E ao voltar não só vi tudo com outros olhos, como tudo estava mesmo de outro jeito, uma certa liberdade tinha ocupado o lugar do rigor imposto por Violeta. Rita seguia sendo Isaura, mais confiante, inventando falas que não tinham ido ao ar, fazendo gestos maiores, mais teatrais. Improvisando. Parecia uma atriz experiente, manejando pausas, esticando palavras, se movimentando à vontade. Mas o que mais impressionou a todas nós e desencadeou tudo que veio a seguir foram as lágrimas. Rita conseguia derramar lágrimas de verdade quando chorava. Uma das meninas gritou: "Ela está chorando de verdade, está escorrendo lágrima do olho dela!" Todas se petrificaram de atenção. Aquilo era demais, uma prova de talento incontestável. Eu fiquei entusiasmada, saí de trás do portão e fui para o meio da rua arrebatada, querendo ver de perto aquele desempenho. Rita seguia aos prantos, derramando-se e esticando o texto em um improviso que roubou todas as atenções. Menos a de Violeta. Sabe o que ela fez, Biá? Sabe o que Violeta fez? Olhou pra mim e me viu no meio da rua. Ela simplesmente parou os olhos em mim e interrompeu a cena com a precisão de um machado afiado. Apontou o dedo acusador na minha direção e veio transtornada, gritando:

— Cadela, fora daqui, cadela!

Naquela época, para mim, cadela era só a "mulher" do cachorro, não fosse a dona da boca e o tom da voz, teria soado inofensivo. A conotação de vagabunda e puta, que encharcou a palavra de agressividade, eu sequer farejava, e desconfio que muito menos Violeta. A raiva dela era uma raiva herdada. Ela repetia as palavras que a mãe usava quando falava de minha mãe. Não era assunto nosso, e eu não compreendia o tamanho da ofensa. De maneira que a "cadela" que ela soltou para cima de mim não conseguiu me morder. O que fazia estrago mesmo era o "fora daqui", isso sim me arrasava. Até hoje fico de fora de muita coisa na vida para não correr o risco de ser expulsa. O dedo acusador vindo em minha direção como uma flecha certeira teria me posto para correr não fosse a velocidade com que tudo aconteceu. O machado de Violeta, que aparentemente tinha a mim como alvo, acertou foi Rita. E é claro que era mesmo Rita que Violeta queria acertar, embora não pudesse mirá-la. Era Rita quem estava roubando a cena, o lugar mais alto do pódio e a admiração das submissas. E você sabe, Biá, que a admiração toca em lugares que o chicote não alcança. O urro "cadela, fora daqui" derrubou Rita do alto do palco, onde ela estava gostando de estar, arrancou o brilho das lágrimas que ela nos exibia triunfante, avacalhou o êxtase de todas nós. Rita ficou furiosa com o atrevimento daquela interrupção e pôs toda a força no grito que deu de volta em direção a Violeta:

— CHATA. Você é muito cha-ta.

Em minha memória de criança, aquela voz parecia ter saído do céu, como nos filmes bíblicos, quando Deus fala. Só que Deus estava com muita raiva, irado, sem sabedoria. A voz nítida ocupou todos os espaços. Violeta se desconcertou na hora, tirou os olhos de mim e se virou para Rita, descontrolada, tentando provar sua razão.

— Eu não brinco com essa cadela aqui, viu, Rita?

— E eu não brinco nunca mais com você, viu, chata?

Rita apelou completamente. Arrancou o avental que fazia as vezes de um vestido de época, jogou no chão e saiu pisando duro rumo à sua casa enquanto Violeta esperneava.

— A mãe dela não presta, sabia, Rita? Tentou roubar meu pai de minha mãe. É UMA PUTA.

Nesse momento ouvi uma voz seca e firme que se sobrepôs a todos os outros sons:

— Olívia, entra.

Era minha mãe. Ela estava parada no portão, tinha ouvido os desaforos de Violeta e me mandou entrar. Sem se defender, sem xingar ninguém, sem expor nenhum tipo de reação ao que acabara de ouvir, ela fechou o portão. Minha mãe sempre foi uma mulher muito equilibrada, elegante nos gestos, nas palavras. Não ia bater boca com uma criança no meio da rua. Eu entrei em casa já sabendo que não ia escapar de uma longa conversa. Ela não me deixou subir para o quarto e me perguntou sem rodeios o que estava acontecendo. Desandei a chorar. Há meses vinha sofrendo os abusos de Violeta, e aquilo veio à tona aos soluços. Eu não conseguia entender direito a raiva que ela tinha de mim e as acusações que me fazia. Eu não tinha sequer vocabulário, mas as coisas que Violeta falava de minha mãe eu sabia que eram ruins, e isso bastava para que eu não quisesse que minha mãe soubesse. Pensava que ela podia não aguentar de tanta tristeza, porque ela quase não aguentou quando meu pai morreu. E eu carregava comigo a certeza de que um pouco mais de tristeza poderia matá-la. Mas naquela hora, ali, quando minha mãe quis saber de tudo, eu senti um alívio, *como se agarrasse uma boia para não afogar. Contei que Violeta me proibia de brincar com as outras meninas, que cuspia em mim, que me cercava pelo caminho, debochava das minhas roupas, rasgava meus cadernos, que me chamava de ferrugem, catarrenta, de fedorenta, e dizia alto, na porta da escola, que eu não prestava como minha mãe, que era vagabunda e puta de marca maior. Minha mãe me pegou no colo e disse: "Você não é nada disso, Olívia, e eu prometo que não vou deixar ninguém mais maltratar você." Como eu gostei de ouvir aquilo, Biá... senti que estava sendo resgatada de um longo e doloroso sequestro. Naquela noite, ela deixou que eu dormisse em sua cama, e foi o que bastou para que eu soubesse que Violeta estava em apuros.*

Minha mãe era uma mulher bonita. Não tinha nada nela, isoladamente, que fosse excepcional, mas o conjunto era extraordinário. Os olhos cor de outono com cílios grandes, a pele suave sem uma marca, a boca vermelha bem desenhada, os dentes perfeitos. Tudo lhe caía bem. Se embolava o cabelo num coque improvisado, ficava bonita, de cara lavada ou maquiada, com roupa de festa ou de ficar em casa, alegre ou triste, ela sempre tinha uma luz em torno de si, que a deslocava para um outro plano. Não conseguia se apagar nem quando estava triste. Tinha uma coisa qualquer nela de linho, de seda, de azeite, essas essências puras extraídas com paciência, em que nada falta ou sobra. Sua beleza era assim. Era uma mulher contida, mas suave, bem articulada, mas discreta. Uma mulher interessante e interessada, por quem os homens se apaixonavam, o que lhe valeu passagens pelo céu e também pelo inferno.

Ela e meu pai se conheceram no banco onde trabalhavam, e em pouco tempo se casaram. Meu pai merecia minha mãe. Era um sujeito muito diferente dos homens daquela época, não se sentia em nada superior a ela, dividia as responsabilidades da casa e os cuidados comigo sem achar que fosse um favor. Eu não me lembro dele. Quando ele morreu eu tinha quatro anos, e o que sei a seu respeito foi minha mãe quem cuidou para que eu soubesse. Sei que ele lavava as próprias cuecas e dizia que qualquer pessoa é uma pessoa melhor se limpa o que sujou, o que valia também para as louças de domingo. Sei que ele não conseguia cortar as unhas da mão direita, que adorava comer doce antes do almoço, que admitia ter medo de tempestades e que leu O segundo sexo, de Simone de Beauvoir. Sei que ele chorou quando eu nasci e as primeiras palavras que me disse foram de uma citação que aprendeu com minha avó alemã: Ouse, ouse tudo! Seja na vida o que você é, aconteça o que acontecer.

Para conquistar minha mãe, que era cobiçada com fervor por outros rapazes, inclusive por um dos diretores do banco, meu pai dizia ter usado uma técnica infalível: a ousadia. Pediu a ela uma receita de bolo! Minha mãe contava rindo que o xeque-mate do meu pai levava leite condensado. Mas na verdade o que a conquistou mesmo foi que ele não a tratava só como uma mulher a ser conquistada, mas como uma pessoa a quem queria conhecer. Se interessava pelo que ela vestia e também pelo que pensava. Comentava a cor do esmalte em suas mãos, mas também queria saber suas opiniões sobre política. Trocavam livros, discos, bilhetes e receitas de bolo. Naquele ambiente conservador e machista do banco, com todos aqueles homens submetidos a uma lista enorme do que é e do que não é coisa de homem, cheios de certo e errado, de pode e não pode, meu pai, completamente apaixonado, se viu rapidamente correspondido.

Eles se casaram, e quatro anos depois eu nasci. Você sabe, Biá, que naquela época uma jovem senhora não esperava tanto tempo para engravidar, e ter um filho apenas era sinal de que alguma coisa andava muito errada, fosse na saúde, no casamento ou nas finanças. Nunca era uma escolha. Mas para os meus pais foi. Aguentaram firme e de bom humor a insistência intrometida de toda a família, tanto para que tivessem logo o primeiro filho quanto para que dessem logo um irmão a ele. Mas eles não se abalaram. Viviam muito bem antes e depois de minha chegada. Trabalhavam, tinham amigos, gostavam um da família intrometida do outro, cuidavam de mim com alegria. Eram intensamente felizes, com a mesma intensidade que deixaram de ser.

Numa manhã de setembro, eles estavam de férias, acordaram cedo, empolgados porque íamos viajar. Nosso destino, como dizia minha mãe, era estrear um biquíni em Guarapari, coisa que toda família mineira que se prezasse fazia pelo menos uma vez ao ano. Passamos na casa de minha avó para buscá-la. Ela morava em um prédio de muitos andares, no centro. Meu pai subiu para ajudar a descer com as malas e, quando abriu a porta do elevador, entretido com as bagagens, não viu que o elevador não estava lá e caiu no fosso. Morreu na hora. Os gritos foram demorados e cortantes, e até hoje não os suporto, nem os de alegria. Foi uma tragédia que jogou minha mãe na cama, tomada por uma tristeza sem fim. Nunca me esqueci daquela atmosfera de perda que se instalou em minha casa, como uma neblina que retira o contorno das coisas e deixa tudo distante e irreal. Um desespero cinza, silencioso e interminável. Para mim, foi assustador. Dos fatos, eu não me lembro bem, mas fiquei impregnada de abandono, porque perdi meu pai, e por muito tempo também perdi minha mãe. Ela custou a reagir. Ele fazia muita falta. Mas o tempo e a necessidade de cuidar de mim a trouxeram de volta. E a vida continuou, Biá, com sua inesgotável criatividade para inventar problemas.

Minha mãe passou a ser uma jovem viúva e não mais uma moça solteira. Sabe o que isso significava naquela época? Que ela já tinha tido um homem. Onde existia uma viúva com uma filha muitos preferiam enxergar uma mulher necessitada de um macho, fosse para protegê-la, fosse para satisfazê-la. Entre eles estava o sr. Dantas.

O sr. Dantas era um vizinho asqueroso, prolixo, casado com dona Esmeralda, que morava bem em frente à igreja. Quando ele começava a falar, era insuportável. Dizem que em casa passava os dedos nos móveis para reclamar da poeira, conferia o chão em busca de um alpiste que lhe desse direito a berros, exigia comida na hora, roupas bem passadas e os melhores pedaços do frango. Tinha um tom autoritário feito de rispidez e volume na voz. Dentro de casa, ai de quem não fizesse o que ele esperava, arriscava-se a tomar uns tabefes. E ele os distribuía de um jeito covarde e completamente de veneta. "Tá me olhando assim por quê?" E pof: dá-lhe cascudo! Maltratava a mulher e as filhas, entre elas, Violeta, que não escapou de passar adiante o que recebia do pai. Para o resto do mundo, o sr. Dantas bancava o sujeito cumpridor dos deveres, pontual e sabichão, o que o tornava ainda mais asqueroso. Tudo no gogó, puro cinismo, porque de verdade mesmo ele era aquele tipo que lê uma linha e arrota um texto inteiro. A conversa era sempre em tom de autoridade, lição de moral: "Temos de ajudar, temos de fazer, vamos organizar", e infalivelmente os imprevistos apareciam, e ele nunca punha a mão na massa, nunca. Um perfeito moralista de araque, que fora de casa, todo mundo sabia, aprontava.

Quando meu pai morreu, ele se apresentou solícito, insistiu com minha mãe que o procurasse para o que fosse preciso. Ela nunca precisou, nunca procurou. Mesmo assim, de tempos em tempos, ele tocava a campainha e se oferecia para trocar uma lâmpada, consertar uma torneira, carregar alguma coisa mais pesada e dar seus irritantes conselhos. Minha mãe agradecia, com muita paciência dizia que estava tudo em ordem e tentava não render muita conversa. Mas ele insistia. Com o tempo começou a se tornar inconveniente, com visitas cada vez mais frequentes e demoradas. Forjava uma intimidade que exasperava minha mãe, chegando perto demais enquanto falava, borrifando no ar gotas de saliva, tocando repetidas vezes nos ombros dela e ali esquecendo as mãos com indisfarçável malícia.

Um belo dia, o sr. Dantas, subindo a rua a caminho de casa, viu um diretor do banco, com seu carro, suas roupas, seus sapatos, sua coleção de coisas invejáveis, na porta da nossa casa. Minha mãe tinha passado mal, e ele, Antônio Nelson Amadeu, que já era interessado nela muito antes que ela se casasse com meu pai, e que, com todo o seu amor, veio mais tarde a complicar de verdade nossas vidas, se ofereceu, respeitosamente, para levá-la em casa. Minha mãe conta que o sr. Dantas ficou visivelmente desconfortável, cumprimentou-a com a cara fechada, caminhou olhando de tempos em tempos para trás, incomodado de não poder parar e tomar satisfações que, na cabeça dele, lhe eram devidas.

Nesse mesmo dia, ele voltou mais tarde, com seu perdigoto cheirando a cachaça, cercou Ângela, que trabalhava lá em casa, no portão, quando ela saía para ir à farmácia, e pediu para falar com minha mãe. Ela mandou dizer que não estava se sentindo bem, que ele voltasse outra hora. Foi o que bastou para ele armar o teatro, empostar a voz e proferir seu mal-intencionado discurso de que era um absurdo deixar minha mãe sozinha passando mal, e que ficaria com ela até Ângela voltar. A pobre coitada, num misto de boa-fé e submissão, deixou o sr. Dantas entrar e foi comprar um analgésico, toda prestativa.

Biá, esse homem teve a coragem de entrar em nossa casa e se dirigir ao quarto de minha mãe. Ela, que de fato não estava bem, levou um susto sem tamanho quando abriu os olhos e viu o sr. Dantas sentado na beirada de sua cama. Minha mãe já vinha sentindo há tempos as más intenções dele, mas nunca imaginou que ele seria capaz de um desacato daquelas proporções. A coisa era séria, aquele homem seria violento, foi o que pressentiu. Eu dormia no quarto ao lado, mas naquele dia não estava em casa, tinha ido para a casa de uma tia. Minha mãe teve o sangue-frio de pedir a ele que fechasse a porta do meu quarto para que eu não acordasse. Na cabeça doente do sr. Dantas, um pedido daquela natureza era um sinal claro, uma *espécie de consentimento, de que dali em diante estariam liberadas as cenas tórridas com a viúva carente. Ele obedeceu sem pestanejar, carregando na cara um sorrisinho nojento de jogo ganho. Na mesma hora, minha mãe se levantou, pegou sobre a cômoda um jarro de estanho onde sempre mantinha rosas frescas, uma tradição amorosa de meu pai que ela manteve viva, e o escondeu atrás do corpo, indo fechar a porta do próprio quarto. Nesse momento o sr. Dantas botou o pé, impedindo que a porta se fechasse, e forçou sua entrada. A máscara do protetor dedicado caiu, e o mau-caráter se revelou por inteiro. O boçal foi para cima de minha mãe falando coisas como "vou te devolver a alegria de viver", passou a mão na cintura dela, puxou-a com força para junto de seu corpo e rasgou sua camisola, avançando em seus seios antes de jogá-la na cama. Começou a lamber seu pescoço e a deslizar as mãos nojentas e indecentes em seu corpo. Foi quando minha mãe meteu sem dó o jarro na cabeça dele e fez um talho profundo em sua calvície oleosa. O sangue começou a jorrar. O sr. Dantas ficou atordoado e disparou a gritar que ela era uma vagabunda, que o atraiu para o quarto e que agora se fazia de difícil, e o sangue descendo espesso, chamou minha mãe de piranha que ficava se oferecendo para um homem rico a troco de emprego, e o sangue continuava descendo, embolado em ofensas, salpicando com gotas grosseiras tudo ao redor. Minha mãe, firme com a arma na mão, ameaçou golpeá-lo novamente se ele não fosse embora. E ele saiu, rosnando e amaldiçoando. Mas, sabe-se lá se por providência divina ou azar infernal, dona Esmeralda vinha subindo a rua com Ângela e deu de cara com o asqueroso saindo da nossa casa.*

*O sangue já tampava o olho, se espalhava pela face, descia pelo pescoço e fazia uma mancha imensa na camisa clara. A primeira reação de dona Esmeralda foi de susto. Ela gritou "Dantas do céu, o que foi isso, meu Deus?!" e tentou se aproximar para ver de onde vinha tanto sangue, mas a reação dele foi de **agressiva*** repulsa. Na verdade, ele tomou um susto maior do que o dela ao vê-la ali. O safado não teve tempo de pensar em uma desculpa. Acuado, partiu para o ataque. Xingou dona Esmeralda por estar na rua e não em casa, impediu grosseiramente que ela o examinasse e saiu pisando duro, com a pobre coitada atrás tentando alcançá-lo.

Naquela época, Biá, você sabe que as pessoas que moravam em uma mesma rua se conheciam. Acompanhavam umas a vida das outras, para o bem e para o mal. Não demorou a chegar aos ouvidos de minha mãe o que se passou na casa deles aquele dia e a história que o sr. Dantas inventou.

Ele chegou em casa transtornado, gritando que era nisso que dava ajudar os outros, que nunca mais seria idiota de ter boa vontade com ninguém. Disse que dona Laura, minha mãe, sempre lhe pareceu uma mulher correta, mas que a viuvez com uma filha para criar virou a cabeça dela. Que a pedido de Ângela tinha ido fazer a caridade de não deixar minha mãe passando mal sozinha e caiu em uma armadilha. Que minha mãe teve com ele um comportamento de vadia, que estava desesperada para arrumar um amante que a sustentasse e que, quando ele se negou a fazer parte daquela imundice, ela apelou e partiu para as vias de fato com ele. E gritava: "Você me conhece, Esmeralda, sabe que comigo não tem conversa fiada, eu posso até ser ignorante, mas não aceito vadiagem para o meu lado. Ela se engraçou comigo, e eu cortei na hora. Aí a vagabunda me atacou, a ordinária meteu um jarro na minha cabeça e fez esse estrago. Ordinária, pilantra! Mas acabou, por mim agora ela pode morrer, que eu não movo uma palha." E quando dona Esmeralda pressionou, perguntando que tanta boa vontade ele tinha que não saía da nossa casa, tomou um soco na boca. O patife encerrou a conversa dizendo que não admitia ter dentro de casa uma mulher que duvidasse dele. Se era para duvidar, que ela fizesse as malas.

Se dona Esmeralda acreditou, eu não sei, mas engoliu. Engoliu o sangue que os dentes arrancaram da boca com o soco que levou. Engoliu, porque o que mais ela sabia fazer? Dependia do sr. Dantas para comer, para ter onde dormir, para ter aonde ir ao banheiro, para ter onde cair morta. Engolir era sua especialidade. Estava disponível para qualquer tipo de trato. Se duvidasse do marido, ele punha ela pra fora. Por não ter uma saída na realidade, dona Esmeralda caprichou na fuga. Agarrou-se à versão dele, aumentou, inventou detalhes e saiu espalhando para todo lado que minha mãe era uma puta de marca maior que tentou roubar o marido dela. Acabou sendo um jeito de se dar um pouco de autoestima e conseguir viver com uma história tão mal contada. Tudo isso chegou aos ouvidos de minha mãe, e ela não quis saber, deixou para lá. Uma vez, muitos anos mais tarde, manifestei minha indignação com sua passividade e cobrei agressiva o fato de não ter se defendido quando os boatos começaram. Como pôde aceitar um abuso daquele sem tomar satisfação? Se aquilo não a deixara chateada o suficiente a ponto de se revoltar e exigir uma reparação. E ela me disse que sim, que tudo tinha sido muito revoltante, mas que estabelecer com o sr. Dantas qualquer combate já era aceitar se relacionar com ele, e isso estava fora de questão. Ela não se dedicaria a uma mentira. E argumentava:

— Pra que dizer "foi assim", enquanto ele berraria "foi assado"!? Eu, Olívia, não precisava do sr. Dantas para saber exatamente o que aconteceu aquele dia na minha casa, e ninguém comprava a versão que ele vendia, nem mesmo dona Esmeralda. Mas ela precisava desesperadamente que ele mentisse, para poder permanecer onde estava. A mentira dele ainda era, para ela, uma migalha de respeito. Dona Esmeralda não teria ouvidos para nada que eu dissesse, minha filha. Por incrível que pareça, eu tive pena.

Assim as coisas teriam ficado, não fosse o dia em que Violeta interrompeu as lágrimas de Isaura, que Rita talentosamente derramava, e na frente de todas nós acusou minha mãe de ser uma puta e de ter tentado roubar o pai dela. Ao ouvir aquilo, minha mãe se deu conta de que a maldita história não atingia apenas a ela, mas a mim também. E quando dei detalhes do que vinha passando, ela decidiu acabar de uma vez com aquelas intrigas. Acordou bem cedo, pôs um vestido sóbrio, prendeu os cabelos, me deixou na escola e bateu na porta de dona Esmeralda. Inácia, a empregada mais linguaruda da rua, foi quem abriu a porta e a deixou entrar. Como estava com as mãos sujas de sabão, passou pela cozinha antes de ir avisar que minha mãe estava lá. Nesse meio-tempo, dona Esmeralda, desavisada, entrou na sala, e as duas deram de cara uma com a outra. Foi um susto daqueles que acabou sendo engraçado, porque deu em dona Esmeralda um ataque de gagueira: "Que-que--que-que, qui-qui-qui, a-cá-cá-cá-cia!" Gritou "Acácia" ao invés de "Inácia". E até hoje brinco de chamar "Acácia" numa situação de grande apuro, como se ela fosse uma santa. Minha mãe, que havia se preparado para aquele encontro, foi calmamente dizendo:

— Dona Esmeralda, eu sei que a senhora não esperava me encontrar aqui. Mas eu preciso ter uma conver...

— Eu não tenho nada para con-con-con-con-versar — interrompeu dona Esmeralda. — É um desafo-fo-fo-ro você vir aqui, na minha ca-ca-ca-sa.

— Eu acho melhor a gente conversar, sim, dona Esmeralda. Melhor aqui do que domingo na hora da missa, na frente de todo mundo. Porque é isso que eu vou fazer se a gente não conseguir resolver essa história agora. Vou falar lá de cima do altar para todo mundo ouvir...

Nessa hora, dona Esmeralda começou a suar e a falar alto:

— Falar o quê? Falar o quê? O que-que-que qui-qui você vai falar? Eu que vou falar que você foi pra ci-ci-ci-cima do meu ma-ma-mari...

— Dona Esmeralda, eu não vim aqui bater boca com a senhora. Se a senhora não quer me ouvir, eu vou embora, e domingo a rua inteira vai conhecer a minha versão dessa história, que o seu marido inventou, e a senhora anda espalhando por aí como se fosse verdade. E as pessoas vão poder escolher em quem acreditar. Se em mim ou no seu marido, cuja fama a senhora conhece muito bem e sabe que tipo de coisa é capaz de fazer. A senhora sabe. O resto do mundo desconfia, mas a senhora sabe. E eu também sei porque senti na pele. E vou fazer cada um, naquela igreja, ter certeza de que seu marido não presta. A mesma certeza que a senhora tem, mas se nega a admitir.

E minha mãe deu as costas e saiu em direção à porta, mas dona Esmeralda recuou. Pediu para ela ficar e aos poucos foi se acalmando. A gagueira e o suor deram lugar a uma exaustão impotente. E foi assim que ela ouviu minha mãe sem interromper, e, segundo Inácia, minha mãe falou como uma atriz de cinema, toda bonita e educada.

— Dona Esmeralda, desde que meu marido morreu, o sr. Dantas passou a ir em minha casa constantemente para oferecer ajuda. Mesmo eu dizendo a ele que estava tudo bem, que não era necessário ele se preocupar. Eu já estava bastante incomodada com a frequência dessas visitas, percebendo as tentativas dele de estabelecer uma intimidade muito indesejada da minha parte. Da última vez que ele foi lá, passou criminosamente dos limites. Ele se aproveitou que eu estava passando mal, com uma enxaqueca forte, e que Ângela tinha ido à farmácia buscar um remédio, para entrar na minha casa. Quando eu abri os olhos, dei de cara com seu marido sentado na minha cama. Daí em diante se desenrolou uma situação extremamente grave. Seu marido tentou me forçar a ter uma relação com ele, chegou a rasgar minha roupa e a me jogar na cama como se eu fosse um pedaço de carne. Isso é crime, dona Esmeralda. Para me defender eu acertei a cabeça dele com um jarro, e o resto a senhora já sabe. Desde que isso aconteceu tenho sido tolerante, irresponsavelmente tolerante, porque a versão dele é mentirosa e covarde, e o meu silêncio certamente é inaceitável. Mas eu achava que era melhor deixar pra lá, por causa da senhora e de suas filhas, e porque eu não queria sequer me lembrar de que o seu marido continua vivo. Mas ontem peguei Violeta humilhando Olívia, minha filha, me acusando aos berros de ter tentado roubar o pai dela da mãe. Ela gritou, para quem quisesse ouvir, que eu sou uma puta, palavra que acho pesada demais para uma criança carregar na boca. Minha filha me contou aos prantos que vem sendo perseguida pela sua filha. Que Violeta a tortura, agride, humilha na rua, na escola, isola minha filha das outras meninas, não deixa ela brincar, não deixa ela fazer amigas. Então o que eu vim dizer à senhora é que tenha uma boa conversa com Violeta. Sua filha é uma criança, dona Esmeralda, merece a oportunidade de aprender a respeitar os outros para não virar um adulto igual ao pai. O pai é um péssimo exemplo, e a senhora também está sendo quando dá cobertura a ele, quando ajuda a espalhar uma história mentirosa sobre mim. Faça Violeta ir até minha casa se desculpar com Olívia, e que ela nunca mais perturbe a paz da minha filha, porque eu não vou admitir. A senhora entendeu?

Nesse momento, dona Esmeralda começou a chorar, desesperada. Minha mãe pediu que Inácia trouxesse água com açúcar, deu a ela de beber e ficou ali com muita pena, tentando dizer alguma coisa que pudesse aliviar o sofrimento da pobre coitada.

— Dona Esmeralda, a senhora não tem ninguém que possa te ajudar? Pai, mãe, irmãos... sei lá, alguém da família? A senhora não tem que aguentar tanta humilhação do seu marido, nem suas filhas merecem isso. Desculpe... mas a gente acaba sabendo das agressões dele, isso é um absurdo! A senhora não tem vontade de mudar essa situação?

Dona Esmeralda tinha um corpo enorme, e os soluços faziam o peito subir e descer pesado. Com muito custo foi se acalmando. Enxugou os olhos, se levantou, abriu a porta e sem dizer nada mostrou à minha mãe o caminho da rua. Minha mãe agradeceu sem *graça de estar sendo posta para fora, mas antes de sair fez questão de repetir para que não restassem dúvidas:*

— *Resolva isso até domingo, dona Esmeralda, antes da missa, para que eu não tenha que resolver pela senhora.*

Dona Esmeralda fechou a porta, e lá da rua minha mãe ouviu que ela voltou a chorar.

O domingo nunca foi tão longe da quinta. Cada hora que passava, sem que a campainha tocasse, apertava o coração de minha mãe como se ele estivesse entre duas chapas de ferro, naquelas máquinas de tortura cheias de roldanas. Imagine você, Biá, uma mulher elegante e equilibrada como minha mãe, dona Laura, rodando a baiana no altar domingo à noite? Narrando para os fiéis uma tentativa de estupro de um pai de família? Ela estava apavorada com a perspectiva de ter mesmo que subir naquele palco sagrado, enfrentar a intolerância do padre Diógenes e desmascarar o sr. Dantas, correndo ainda o risco de sair de lá apedrejada. Mas esse era o único plano. E quando o domingo chegou e a tarde começou a cair, ela se arrumou como se estivesse indo a um velório. Estava decidida a ir à missa. Foi aí que bateram na porta. Era dona Esmeralda trazendo Violeta pelo braço, igual um bicho indomável. A menina vinha à força, contrariada, quase arrastada, cheia de marcas roxas novas e antigas. Quando abrimos a porta, eu agarrada na cintura de minha mãe, foi que Violeta parou de espernear, mas manteve o nariz bem empinado, e um mal-estar estacionou entre nós. Só minha mãe parecia aliviada.

— *Oi, dona Esmeralda, oi, Violeta* — *disse, simpática demais para a ocasião.*

— *Violeta veio se desculpar com Olívia* — *disse dona Esmeralda, seca, apertando o braço da filha.* — *Vamos, Violeta, peça desculpas.*

Silêncio completo, nada da menina falar. O que ela fez foi me encarar, e metade de mim se escondeu atrás de minha mãe, já achando que aquela conversa podia dar muito errado.

— Violeta, peça desculpas para Olívia. — E Violeta fez cara de "nem morta".

— Agora, Violeta! — Nada.

— Você quer levar uma surra aqui na frente de todo mundo? Peça desculpas a-go-ra — insistiu dona Esmeralda, sujigando a filha.

E Violeta deu de ombros. Dona Esmeralda começou a suar e a distribuir beliscões.

— Violeta, eu vou arrancar sua pele se você não me obedecer. Peça desculpas.

Mais a mãe se desesperava, mais a filha levantava o queixo e sustentava o olhar.

— Peça desculpas, Violeta, eu estou mandando. Man-dan-do, entendeu?

A coisa dava sinais de que ia descambar para o espancamento.

— Dona Esmeralda, por favor, não precisa bater... — tentou intervir minha mãe.

— Vi-o-le-ta! — gritou dona Esmeralda, cravando as unhas afiadas com toda força no braço da menina, que num reflexo imediato, em resposta à dor que sentiu, gritou:

— DESCULPA!

— Diga que não vai se meter mais com Olívia. — E ela, no orgulho de travar as lágrimas, sentindo o ataque que a mãe fazia em seus braços, repetiu:

— Não vou me meter mais com Olívia.

A essa altura eu nem respirava. Minha mãe, coitada, estava em pânico, amaldiçoando a hora em que inventou toda essa história. Dona Esmeralda virou as costas e foi embora, levando Violeta quase arrastada. Foi horrível tudo aquilo, mas foi a melhor coisa horrível que já me aconteceu. O pesadelo acabou nas unhas de dona Esmeralda. Rita, que assistia embasbacada a toda a cena do jardim de casa, depois que tudo se resolveu, fez para mim um gesto de abrir e fechar as mãos como se fossem estrelinhas piscando, e eu do outro lado da rua respondi como um espelho. Então ela gritou: "Quer vir aqui?" Olhei para minha mãe implorando, e ela, ainda no espanto do que se passara, disse sim. Eu podia ir à casa de Rita. Eu podia ir. E daquele dia em diante fui muitas e muitas vezes.

 A casa de Rita, que guardo na memória, foi o primeiro lugar da minha vida que me fez prestar atenção em onde eu estava. Entrar naquela casa era entrar em uma dimensão até então desconhecida para mim, onde as coisas, os objetos tinham poder de me arrebatar. Os cômodos eram grandes e arejados, as tonalidades terrosas dominavam o ambiente, contrastadas com cores inesperadas que apareciam, de tempos em tempos, em alguma parede ou objeto, fazendo tudo girar em torno delas. Muitos quadros, com pessoas imperfeitas pinceladas que me olhavam e impressionavam, como se, na ausência de feições realistas, pudessem revelar, em estado bruto, a intensidade dos sentimentos. Tapetes integrando os ambientes, cortinas leves e transparentes descendo do pé-direito alto até o chão, móveis recortados, torcidos, solitários, que não levavam a sério a própria imobilidade. Era uma casa rica de objetos. O pai de Rita, Eduardo, era engenheiro, dono de uma construtora, tinha muito dinheiro. A mãe de Rita, Luciana, era uma artista plástica conhecida. Fez uma parede inteira de azulejos pintados à mão com bico de pena que simplesmente me hipnotizava. Várias vezes perdi meus olhos naquela pintura. Achava esplêndido e reconhecia, mesmo sendo uma criança, o virtuosismo daquele trabalho. Pensava comigo: como alguém podia fazer uma coisa tão bonita? Uma vez vi numa revista a foto daquela parede e estremeci de emoção. Desde aquela época, e ainda hoje, sempre me estarreço com coisas que exibem esplendorosas o tempo que levaram para ser feitas e que só poderiam ter sido feitas com a dedicação apaixonada de alguém. É a sensação de estar subitamente diante de uma compreensão nuclear, *compacta, que por um segundo reveste toda a vida que já passou e a que está por vir de algo precioso. Como você contou que sentia, Biá, ao ler certos livros a ponto de acordar Teodoro de madrugada. Era também o que eu sentia ao ver os jarros de diferentes tamanhos com flores de papel feitas por Luciana, espalhados por toda a casa. Alguns com rosas vermelhas, outros com rosas em tons de inverno, outros ainda com rosas gritantes, irreverentes, sempre iluminados por uma luz natural que entrava pelas muitas janelas, sempre uma brisa por perto como um sopro de vida. Uma festa para os meus olhos, uma festa para o meu coração. Ali eu me sentia dentro, arrancada de trás daquele portão para onde nunca mais voltaria. Eu me sentia envolvida por coisas que podia amar. Tenho vontade de revisitar essa casa, sei que esse desejo irá me acompanhar para o resto da vida, e sei também que não é a casa de agora que quero revisitar, mas aquela sensação de outrora que me tomava. Uma vez quase estive lá, e então pensei no gramado da frente e em sua imperiosa árvore, que reinava absoluta naqueles tempos, dona da maior sombra do mundo. Tive medo de que ela se revelasse uma árvore qualquer, não estava preparada para perdê-la. Então, não fui.*

O quarto de Rita tinha uma varanda coberta que dava para os fundos da casa, e ali nós passávamos horas brincando. De cinco--marias, varetas, elásticos. De casinha, de fazer guisado com fogo de verdade, de escritório, com os velhos livros de registro que Rita ganhara do avô açougueiro, que morava no interior. Fingíamos ser dentistas e obturávamos tábuas enchendo os buracos deixados por antigos pregos com uma massa de farinha de trigo, cuidadosamente manipulada com ferrinhos de dentista legítimos, que nos enchiam de profissionalismo.

Durante a semana, estudávamos em escolas diferentes, eu ali no bairro mesmo, e Rita em uma escola melhor, mais cara, do outro lado da cidade. Nos encontrávamos logo depois do entardecer e nos fins de semana. Eu já nem tocava mais a campainha para entrar em sua casa. Abria o portão, sempre destrancado, pegava a lateral da casa, dava a volta até os fundos e, por uma grade, subia até a varanda do seu quarto. As outras meninas às vezes vinham brincar com a gente, menos Violeta, que nunca foi perdoada. Isso me impressionava, Biá, porque eu, a verdadeira vítima, superei rapidamente o que ela tinha feito, mas Rita, não. Ela tomou uma antipatia inegociável e nunca mais aceitou brincar com Violeta. Eu cheguei a argumentar algumas vezes, quando éramos adolescentes, que tudo o que tinha se passado era coisa de criança, mas Rita não se comoveu. "Chata", ela dizia. "Violeta é uma chata." Isso me assustava e, mais tarde, me lembrar do radicalismo impiedoso de Rita passou a me arrasar.

Eu e ela fizemos a primeira comunhão juntas, e por muito pouco não fomos expulsas do catecismo pelo padre Diógenes. Ele era um homem muito severo, sem humor, de quem eu morria de medo. Todo sábado íamos para a igreja ter aula de catecismo. Nossas professoras eram meninas novas, pouco mais velhas do que a gente. Fazíamos rodinhas, desenhávamos, interpretávamos passagens do Evangelho e levávamos aquilo muito a sério, com ares de quem compreende toda a complexidade da fé. Eu me comovia com a história de Jesus e enchia meu coração com promessas de ser uma pessoa boa. No final de toda aula, o padre Diógenes aparecia, e éramos obrigadas a rezar o terço. Um momento insuportável para nós. Uma vez eu e Rita, no meio daquela lenga-lenga repetitiva, olhamos uma para a outra e do nada começamos a rir. Pronto, aquilo se tornou de lei. Se a gente se olhasse, vinha uma vontade incontrolável de rir. Quando acontecia, o padre nos fuzilava com os olhos, nós apertávamos a boca e as pernas e dávamos um jeito de conter o riso. A professora, apreensiva, começou a nos separar nas rodas de terço, tentando evitar o que o padre Diógenes começava a considerar uma falta de respeito inconcebível. Parecia de propósito, *mas não era, juro! Se tornou uma compulsão. Um dia, sabe-se lá por que, a gente se olhou e, não teve jeito, o riso veio com uma força descomunal. A fuzilada com os olhos de padre Diógenes não surtiu efeito, pelo contrário, aumentou a intensidade do nosso surto, então ele interrompeu a oração furioso e chamou nossa atenção energicamente. Eu, assustada com a braveza dele, com meu eterno medo de ser expulsa, imediatamente parei, mas Rita não conseguiu parar, foi ficando frouxa, bamba de tanto rir, foi se sentando no chão e, para perplexidade de todos, fez xixi na calça, ali mesmo, em solo sagrado.*

Foi um rebuliço, Biá. O padre Diógenes mandou chamar nossas mães e fez um sermão daqueles. Minha mãe, poço de elegância, ouviu tudo com muita dignidade, já avisando que aquilo não iria se repetir. Já a mãe de Rita, que não era muito simpatizante da Igreja católica e encarava a primeira comunhão da filha mais como uma diversão inofensiva do que como um ato de fé, achou a história tão engraçada que disparou a rir. Não parava. Minha mãe conta que não via a hora de Luciana também molhar as calças, diante de um incrédulo padre Diógenes, nervoso com tanta subversão. Habilmente, dona Laura, como sempre, contornou a situação e encerrou a conversa o mais rápido que pôde, empurrando Luciana, desfalecida de rir, para fora da sacristia, assegurando, em seu nome e em nome dela, o nosso bom comportamento. Nós fizemos a primeira comunhão sob o olhar carrancudo de padre Diógenes, mas foi preciso uma ficar bem longe da outra para que ninguém se mijasse em plena eucaristia.

Não demorou muito e nos tornamos inseparáveis. Durante a semana, até nos dividíamos com outros amigos, mas nos finais de semana e nas férias queríamos a companhia uma da outra. Minha mãe, depois do episódio do padre Diógenes, também se tornou amiga de Luciana, e, de todas as casas da rua, era a única que frequentava, mesmo que comedidamente. Graças a essa aproximação, ela me deixava viajar com Rita para a casa que eles tinham na praia, aonde passávamos, às vezes, mais de um mês, no verão. Eu me tornei uma agregada querida da família. Nossa primeira viagem foi para... adivinha? Guarapari. Hoje em dia, acho que esse negócio de ter casa na praia reduz o mundo a uma paisagem só. Ir sempre para o mesmo lugar, especialmente na adolescência, vai tornando o mundo pequeno demais. Mas naquela época minha experiência foi o oposto. Ir para a mesma praia com a família de Rita ampliava meu mundo e era uma daquelas coisas que eu poderia fazer mil vezes. A casa era encantadora. Sempre animada, cheia de visitas, cozinheiras maravilhosas paparicando a gente o tempo inteiro, uma realidade que destoava da minha e me fascinava. A toda hora uma comidinha gostosa, uma bebida gelada e sobretudo uma conversa divertida. E o melhor: bastava atravessar a rua para entrar no mar. Eduardo, pai de Rita, ao contrário da mãe, era um homem do dia e não da noite. Gostava de esporte, vôlei, frescobol, caminhadas pelas pedras nas encostas do mar. Ensinava as filhas, Rita e Catarina, a andar a cavalo, pilotar motos e a se aventurar de muitas maneiras. Eu e Rita estávamos sempre com ele para cima e para baixo. Já Catarina não se misturava, sumia no mundo, sempre cercada por sua turma. Quando a noite começava, era Luciana quem entrava em cena. Os amigos chegavam, as conversas varavam a madrugada, regadas a álcool e música. Rita e o pai dormiam logo, mas eu ficava fascinada com os assuntos, a modernidade que se desnudava à minha frente, e principalmente com o fato de que me permitiam estar ali. Ninguém me mandava ir para a cama. Eram duas viagens completamente diferentes, a do dia e a da noite, e eu me sentia muito bem em ambas.

* Nas primeiras férias que passei com eles fiquei menstruada pela primeira vez. Um aperto inesquecível. Eu era simplesmente louca para ficar menstruada. Ter peito, ter pelo, encorpar. Quase fiz promessa para ficar mocinha antes de Rita. Esse era um detalhe essencial. Na verdade, eu rezava para não ficar depois de Rita. Não*

queria que ela soubesse como era ser uma moça, sendo eu, ainda, tecnicamente, uma criança. Rita já tinha uma autoestima insuportável — nem quando mijou na igreja, na frente de todo mundo, se abalou. Já eu, Biá, era bem mais insegura. Para começar, eu era ruiva. Sardenta. Muito diferente das outras meninas. Não era tímida, mas tinha uma preocupação excessiva sobre o que pensavam de mim, o que me tornava cautelosa e por vezes retraída. Para não ganhar um não, eu desistia fácil do sim. Nas minhas orações, achava justo alcançar a graça de menstruar antes de Rita e passar um tempo sabendo de coisas que ela não sabia. Era como se eu precisasse de alguma vantagem para oferecer a ela. Mas, apesar de toda essa vontade, quando minhas preces foram atendidas, acabei achando Deus um cara realmente gozador, que resolveu me ouvir justo na hora errada, e sobretudo no lugar errado. Dar de cara com aquele sangue todo descendo perna abaixo, longe de minha mãe e sem direito à privacidade, foi assustador. Por questões práticas, tive que contar para Rita, que por sua vez teve que contar para a mãe, que por sua vez não se conteve e contou para todas as pessoas que passaram por aquela casa durante o verão. Ela achou a coisa mais linda minha entrada no mundo fértil. Justo ela, mãe de duas meninas, resolveu tratar as minhas regras como exceção. "Tão novinha e já com toda a potência criativa no corpo, que maravilha!", dizia a quem chegasse na casa, poetizando minha banal biologia. Quase morri de vergonha de tamanho entusiasmo, porque as pessoas ouviam a louca da Luciana e olhavam para mim, e, enquanto avaliavam se era mesmo uma maravilha, eu só conseguia pensar que elas sabiam que eu tinha um Modess entre as pernas. Eu colava a bunda na parede e empacava, não saía do lugar. Não queria ninguém andando atrás de mim, tendo a chance de observar meu traseiro. Como se meu traseiro tivesse se tornado, subitamente, um interesse obsessivo de todos! Passei aqueles dias torrando ao sol, de roupa na praia, sem entrar no mar, vendo Rita dar estrelas na areia, furar ondas, indiferente ao fato de que eu era uma mocinha e ela não. Para ela, aquilo não teve a menor importância.

    Fizemos muitas viagens juntas. Rita gostava que eu estivesse por perto, mas pouco se envolvia com o que me acontecia. Não tinha curiosidade por minhas coisas, não por indiferença, mas por excesso de concentração em si mesma. Já eu queria saber tudo sobre ela. Carregava comigo uma admiração velada pelo jeito como ela era, e é preciso reconhecer que o outro nome disso pode, em alguma medida, ser inveja. Devo mesmo admitir uma leve e inofensiva inveja. Tão íntima, que eu mal contava a mim mesma. Um desejo de ser ela, em alguns momentos. Talvez eu só não quisesse me sentir inferior, e isso significava torcer secretamente para que ela não se afastasse demais. Para que não voasse alto demais e me deixasse lá embaixo, pequenininha, com os pés no chão. Rita, por sua vez, admirava poucas coisas em mim, mas o fazia abertamente. Generosamente. Quando ganhei corpo, meus seios cresceram e ficaram bonitos. Ela sempre dizia: "Você tem o peito mais bonito do mundo, eu quero um igual pra mim. Todo biquíni fica bem em você! Olha que marmota esse paninho cheio de papo." Reclamava ao se olhar no espelho, se sentindo uma tábua de passar roupa com seu sutiã cortininha.

    Quando a gente andava na praia, ela contabilizava os rapazes que me olhavam, atribuindo aos meus seios, que apelidou de seios-canto-da-sereia, todo o poder de atração. Eu dizia: "Tem também os meus olhos verdes." Ao que ela prontamente rebatia: "Isso eu posso superar!" E podia mesmo, porque Rita tinha olhos molhados, seguramente mais poderosos do que qualquer par de seios.

    Essa loucura de ter peito rendeu uma das histórias mais divertidas que vivemos. Uma vez, Biá, ela encheu o sutiã do biquíni de areia e atravessamos a praia inteira, duas peitudas elegantes andando pra lá e pra cá. No caminho, uns rapazes vieram conversar, e nós ficamos ali jogando charme, paquerando, até combinarmos de encontrar no dia seguinte. E no dia seguinte lá estávamos nós no local marcado: eu, Rita e seu formidável peito 42. Conversa vai, conversa vem, ela e um dos rapazes começaram a ficar claramente interessados um no outro. Acabaram se beijando, e, na emoção daquela sedução, entraram no mar. O peito de Rita escorreu barriga abaixo. Na hora, foi quase trágico. Mesmo pra ela, que tinha uma autoestima inabalável, a situação foi constrangedora. Ninguém disse nada, mas era óbvio que ela tinha perdido um par de peitos no mar. Os rapazes se foram, e o resto das férias nós passamos fugindo deles. Rimos muitas vezes desse vexame que ela chamava de o-dia-em-que-eu-quis-morrer-pra--sempre. Fico pensando que eu também tive meu dia de querer morrer para sempre, Biá. Rita estava lá, e não teve a menor graça.

Nosso jeito de nos cumprimentarmos se tornou marcante em nossa amizade. Começou no dia em que Rita girou de braços abertos no gramado de casa, até cair tonta no chão, e logo depois me acenou, ainda desequilibrada, ao se levantar e me ver pela primeira vez. Desde então, quando a gente se via, ela inventava alguma coisa para fazer com as mãos, um jeito de corpo, uma balançada de cabeça, e eu correspondia repetindo exatamente o que ela fazia, onde quer que estivéssemos. Quando eu subia na grade que dava para o quarto dela, bastava pisar na varanda para ela já improvisar um movimento. Podíamos estar sozinhas ou acompanhadas. Não era algo que fazíamos para os outros verem. Aquilo era entre nós. Mas com o tempo fomos notando que as pessoas ficavam curiosas, atraídas com nossa cumplicidade brevemente coreografada. Prestavam atenção, não conseguiam tirar os olhos, sorriam e, se o movimento era mais elaborado, chegavam a assoviar, bater palmas, fazer barulho. Aquilo nos envolvia numa atmosfera interessante. Nos dava personalidade, um certo charme. À medida que fomos nos tornando moças, começou a virar uma estratégia para fazer amigos, chamar atenção, paquerar. Rita tinha o pulso do ambiente na mão e era boa nisso. Sabia o que cabia fazer em cada lugar. Maior, menor, mais visível, mais discreto, mais alegre, mais contido. Ela sempre dava o tom. Às vezes me olhava fazendo algum movimento, e eu sabia que estava tentando acertar outra pessoa, impressionar alguém. Às vezes combinávamos de chegar separadas nos lugares só para termos a chance de dar nosso pequeno show. Algumas amigas tentaram imitar, fazer parte daquilo, mas só funcionava entre ela e eu. Isso nos aproximava, nos dava a sensação de termos alguma coisa especial nos ligando para sempre. Eu conseguia saber como Rita estava só pelo movimento que ela fazia. E mesmo quando ficávamos muito tempo sem nos ver, por causa da rotina da escola, de outros amigos e até namorados, quando nos encontrávamos e nos cumprimentávamos acontecia um resgate rápido de intimidade. Mas talvez, Biá, eu estivesse enganada, talvez eu tenha imaginado mais do que era. Desejado demais. Alguma coisa definitivamente me escapou.

Nunca duvidei da nossa amizade, ela fez coisas que só um amigo de verdade faz. Uma vez, Rita chegou de surpresa na minha casa, e era sempre uma surpresa quando ela aparecia por lá, porque normalmente era eu quem ia à casa dela. Nesse dia, ela simplesmente entrou e viu minha mãe chorando, num dos raros momentos de descontrole que vi minha mãe ter na vida. Ela tinha sido demitida do banco. Minha mãe se desculpou e saiu da sala, tentando se recompor, e me deixou ali, com Rita, ainda atordoada com a notícia, sem que eu mesma entendesse exatamente as consequências do que tinha acontecido.

Nós tínhamos uma vida relativamente tranquila, meu pai nos deixara uma pequena reserva de dinheiro. Mesmo assim, minha mãe sempre precisou trabalhar para dar conta das despesas do dia a dia. Mas não era só por isso que o trabalho era importante; ela gostava do que fazia e sempre foi uma mulher ativa. Embora nosso *sustento fosse motivo de preocupação, naquele momento, não era a principal causa do desespero de minha mãe. Ela estava se sentindo injustiçada. Mais uma vez, ser uma mulher bonita e atraente trazia problemas para as nossas vidas, parecia o diabo de uma sina da qual ela não conseguia se livrar.*

Tudo começou quando o tal diretor do banco, aquele que o sr. Dantas vira na porta lá de casa, Antônio Nelson Amadeu, que era apaixonado pela minha mãe antes mesmo de ela se casar com meu pai, ficou sabendo que ela havia ficado viúva. Em outras palavras: não existia mais um marido no meio do caminho. Ele até resistiu por algum tempo, mas acabou se aproximando de minha mãe bem mais do que devia, embora de uma maneira muito respeitosa. Aos olhos dela, não passava de uma amizade consolidada por anos de convivência. Só que não era bem assim, não da parte dele. Quando minha mãe se casou com meu pai, ele, desesperançado, acabou se casando com a filha do dono do banco, Valéria Amadeu, com quem teve quatro filhos e com quem parecia ter uma vida tranquila. Para minha mãe, esse fato era suficiente para que não houvesse espaço para mal-entendidos sentimentais entre eles, e assim a vida seguiu durante anos.

Acontece, Biá, que a convivência entre os dois foi reavivando nele um sentimento intenso que com o tempo se tornou indomável. Um dia ele se declarou. Minha mãe cortou a conversa pela raiz: "Você é um homem casado, por favor, não me confunda com uma mulher capaz de se relacionar com um homem casado. Somos amigos, e é o que podemos ser."

Você sabe, Biá, que cada um ouve com o ouvido que tem. Se ser casado era o impedimento para minha mãe estar com ele, só restava a ele se separar e ficar desimpedido. E foi o que ele fez. Chegou em casa e pediu a separação. A mulher apertou daqui, apertou de lá, descobriu que o pivô da discórdia se chamava Laura e trabalhava no banco. Enquanto isso, ele se apresentou disponível para minha mãe, dizendo que já não havia mais empecilho para que eles, finalmente, ficassem juntos. Só nesse momento, sabe-se lá com que dor, ele entendeu que ser casado era um motivo para minha mãe não o querer, mas não o único. Ela não estava interessada, ele não era correspondido. Antônio Nelson voltou para a esposa a tempo de encontrar as portas abertas, e, para fazê-la acreditar que voltara por ela e por nenhuma outra razão, deixou minha mãe ser sacrificada no banco sem levantar um dedo para defendê-la.

 Foi isto que Rita presenciou quando entrou em minha casa: o choro de uma mulher injustiçada com a brutal violência das pessoas de bem. Eu expliquei a ela o lado aparente das coisas, que minha mãe acabara de ser mandada embora do banco, estava sem trabalho, e não sabíamos o que seria de nós. Não me esqueço da expressão comovida que vi no rosto de Rita. Fiquei tão encantada com a atenção que ela me deu, com a solidariedade que manifestou, que carreguei nas tintas do drama. Chorei, repetindo entre lágrimas: não sei o que vamos fazer. Poucos dias depois, minha mãe começou a trabalhar na construtora do Eduardo, pai de Rita. Nunca falamos sobre isso, mas eu sei que foi ela quem nos ajudou. Rita era minha amiga, Biá, gostava de mim.

 Nossa história mudou quando ela começou a estudar para o vestibular. O vestibular, naquela época, você bem sabe, era um massacre. Ela tinha decidido fazer engenharia, um dos cursos mais disputados, com mais candidatos por vaga. Só interessava a Universidade Federal, a mais cobiçada, qualquer outra coisa seria menos. Na casa dela, embora não houvesse uma pressão explícita para que ela passasse de cara, havia um padrão de desempenho que pesava toneladas. Catarina, a irmã mais velha, tinha passado de primeira, muito bem colocada em odontologia na Universidade Federal; o pai era um engenheiro respeitado, dono de uma grande empresa; a mãe, uma artista reconhecida; e ela, Rita, estudava em uma das melhores escolas da cidade. Apenas esperava-se que ela passasse. Rita tentava aparentar uma postura indiferente, como se não se preocupasse, mas com o tempo começou a imaginar a possibilidade de não passar e se inquietou. Começou a se dedicar de uma maneira quase doentia. Sem trégua. Abriu mão de sair, de encontrar os amigos, de namorar. Estudava dia e noite sem descanso. Apenas eu continuei a frequentar sua casa, subia a grade, entrava direto no quarto. Ela fazia um oi cada vez mais objetivo, às vezes só levantava a mão sem sequer me olhar. Eu logo sentia qual era o estado de espírito do dia, correspondia o movimento, atravessava o quarto sem dizer nada, no propósito de não a incomodar, e seguia pela casa até a saída. Se encontrasse alguém no caminho, parava para uma conversa.

Foi em uma dessas oportunidades que acabei me aproximando de Catarina. Ao longo de todos os anos em que eu e Rita fomos amigas, ela nunca tinha nos dado muita confiança, nos tratava como as crianças que éramos, querendo uma boa distância da nossa falta de hormônios. A diferença de idade entre nós era grande, cinco anos, em uma fase da vida em que os mais velhos não querem se misturar com os mais novos. Mas num desses dias em que Rita estudava, Catarina me viu saindo do quarto e veio conversar comigo. Tivemos uma afinidade imediata. Isso começou a se repetir tanto que eu chegava no quarto de Rita, impregnado de seriedade e tensão, já desejando sair e me encontrar com Catarina. Numa dessas ocasiões, Catarina me pediu para ajudá-la a fechar seu vestido, uns cinquenta botõezinhos cobertos de tecido diante de suas respectivas alcinhas, mínimas, ao longo das costas. Enquanto eu lutava para fazer aqueles botões passarem pelas pequenas alças, que pareciam menores do que eles, ela me envolveu em uma deliciosa intriga. Nesse dia em especial, senti como se fôssemos velhas amigas. Ela parecia depender de minhas opiniões para formular as dela. Perguntou se estava bonita, se eu gostava do seu vestido, confessou estar nervosa porque ia se encontrar com Vitor, um rapaz que trazia com ele a reboque toda uma confusão. Fomos para o seu quarto, e ela me contou em detalhes o que tinha acontecido entre eles, de um jeito tão divertido que eu poderia ouvi-la para o resto da vida. A história toda havia começado quando a melhor amiga dela, Cibele, uma garota de parar o trânsito, segundo insistentes observações, pediu que Catarina sondasse, despistadamente, se o tal rapaz, Vitor, tinha uma queda por ela. Catarina se dispôs a levar a cabo a missão que lhe fora confiada. Sem nunca antes ter reparado em Vitor, pôs o olho nele, cheia de boa vontade de facilitar as coisas para a melhor amiga. Repara aqui, repara ali, notou que Vitor lembrava Mick Jagger no auge de sua beleza. "Mais no jeito do que nos traços, embora tivesse uma boca com a mesma qualidade", dizia ela, enfatizando ainda, impressionadíssima, o quanto o pop star, em versão acessível, se sentia à vontade sem camisa, com efeitos excitantes sobre todas as garotas. "Isso não era bom", pressentiu. "Como não tinha reparado antes?", foi a pergunta que não demorou a se fazer.

Os rapazes, na descrição acalorada de Catarina, andavam em bando com suas motocicletas, e as meninas ficavam pelo caminho esperando ansiosas que eles se aproximassem. A iniciativa cabia exclusivamente a eles. Num fim de tarde ensolarado, elas estavam numa roda próxima a um bar quando Vitor desceu de sua moto desfilando um corpo moreno e bem-feito, vestindo calça jeans e camiseta branca. Foi logo tirando a camiseta, puxando pela nuca, sem virá-la do avesso, e a dependurou displicente no cós da calça. Pegou uma garrafa de água no bar e, antes de beber, jogou sobre a cabeça, balançando o cabelo comprido com energia. As gotinhas saíram rolando no ar em câmera lenta e bateram todas em Catarina, que, em vez de reclamar com gritinhos finos, como a maioria das moças faria, valorizou a oferta com um sincero gemido, passando com alegria as mãos no corpo. Vitor observou e reagiu. Repetiu a operação água-na-cabeça, se aproximando com a descarada intenção de continuar molhando Catarina. "Ele veio com aquele corpo todo sem camisa na minha direção", disse ela, assumindo que, naquele momento, suspeitou que poderia se apaixonar, mas ignorou prontamente, fiel ao pacto de que Cibele tinha visto primeiro. O fato é que, depois desse dia do banho de água, Vitor e Catarina passaram a se cumprimentar de um outro jeito, como quem divide um passado. Alguma coisa começou a acontecer entre eles, mesmo que nada de concreto acontecesse. Catarina não era bonita, Biá, mas era imperdível. Atraente. Alta, magra, olhos expressivos sempre contornados de preto, boca carnuda e voluptuosa, o cabelo comprido, sedoso e desorganizado. Rita dizia que ela penteava os cabelos com a ponta dos dedos, nada de escova ou pentes, o que dava a eles um aspecto selvagem. Suas mãos eram longas e cativantes. Usava bota em todas as estações do ano, fizesse chuva ou sol, de vestido leve ou de casaco pesado, no verão ou no inverno, não importava. Isso resultava em um bocado de estilo, meio hippie, muitas vezes atribuído ao fato de ter uma mãe artista, sendo evidente o contraste com as outras moças mais padronizadas, escovadas e bem-comportadas. Catarina carregava uma ousadia confiante e perturbadora. E foi assim, Biá, no autoengano de representar os interesses da amiga, que certo dia ela se desagarrou da roda de moças e foi num impulso puxar conversa com Vitor. Eu me lembro de cada detalhe que ela contou, porque aquilo assanhou completamente minhas fantasias adolescentes. Ele estava sentado na moto estacionada do outro lado da rua, provavelmente esperando algum amigo aparecer. Ela caminhou até ele, com a suposta coragem dos desinteressados, sem antever que sairia de lá com uma irremediável fraqueza pelo rapaz. Chegou fazendo uma pergunta banal só para puxar assunto:

— Bonita sua moto. Você já caiu alguma vez?

— Nunca, jamais, em tempo algum — brincou Vitor, distribuindo de cara todo o seu charme. — É tranquilo. Quer dar uma volta?

Catarina ficou desconcertada com o convite, quis aceitar, mas olhou para o outro lado da rua, onde estavam suas amigas, inclusive Cibele, e constatou que o que era antes uma rodinha de moças se tornara uma linha de pessoas congeladas umas ao lado das outras, todas de boca aberta olhando na direção dos dois. Então agradeceu:

— Hoje não. Outro dia.

— Você tem medo? — perguntou Vitor, com uma expressão de quem não acreditaria se ela dissesse que sim.

— Não, claro que não.

— Já andou alguma vez?

— Claro que sim. Eu inclusive sei andar de moto.

— É bem fácil, só subir na garupa.

— Estou dizendo que sei pilotar.

— Não acredito! — provocou ele, cheio de sedução.

— Quer apostar? — disse ela com olhos desafiadores.

E a aposta foi feita, Biá. Se Catarina ganhasse, eles iriam comer pizza, enquanto Vitor responderia a todas as perguntas que ela fizesse. "Todas?", quis saber ele, com escancarada malícia. "Todas", ela confirmou, séria, sustentando, para si mesma, estar ali por Cibele. Catarina, então, subiu naquela moto e, com aparente destreza, saiu andando, sem ousar olhar o impacto que havia causado do outro lado da rua. Quando completou a volta no quarteirão, parando exatamente onde havia arrancado, Vitor veio festejando a própria derrota:

— Te pego na sua casa amanhã às sete. Conforme combinado, você vai comer pizza, e eu vou responder perguntas.

— Você sabe onde eu moro?

— Quem não sabe!? — disse ele, pegando na mão de Catarina e passando de leve o dedo indicador no antebraço dela, naquela pele fina que nunca toma sol, entre o pulso e a veia preferida dos exames de sangue.

Aquilo, segundo ela, Biá, fez suas pernas bambearem, seu rosto corar. Sentiu que estava perdida e reagiu atrapalhada, com as faces pegando fogo:

— Não me lembrava de sermos tão... tão...

— Daqui pra frente você vai se lembrar — disse Vitor, seguro e safado, arrancando com a moto.

Foi o que me contou uma entusiasmada Catarina, a essa altura apertando com toda a força meu braço, para enfatizar o quanto aquilo mexeu com ela. Quando ele sumiu de vista, ela se deu conta de que estava em apuros. Manteve o quanto pôde as costas viradas para as amigas, passando o pé em uma pedrinha solta no chão, sabendo que mais cedo ou mais tarde ia ter que se virar, atravessar a rua de volta e encarar, sabe-se lá com que cara, a fúria justa de todas. Respirou fundo, firmou os pés na bota e caminhou com aquele maldito vestido que, segundo ela, não tinha um bolso sequer para apoiá-la em um momento tão difícil. Mal pôs o pé no passeio, ouviu a voz indignada de Cibele:

— Pensei que você fosse minha amiga.

— Eu sou — respondeu enfática.

— Você sabe muito bem que eu gosto dele.

— Eu sei — concordou.

— Gosto muito.

— Muito — concordou novamente, para a mais completa irritação de Cibele.

— E aí você vai lá e dá em cima dele. Isso é traição!

— Eu não dei em cima dele, Ci.

— Ah não? O que é que você fez, então, Cááá?

— Fui lá conversar com ele.

— Pra quê?

— Para saber se ele estava interessado em você. Foi você quem me pediu, lembra?
— E aí?
— E aí...
— E aí?
— E aí que... pelo amor de Deus, Ci... por acaso alguém já passou o dedo aqui no seu braço? — perguntou Catarina, num arroubo de sinceridade, a uma Cibele completamente chocada com a direção da conversa. — A única coisa que eu posso dizer, posso jurar pra você... é que quando alguém passa o dedo aqui, neste lugar... a gente não escapa.

Todas as meninas ficaram de boca aberta, sem respirar. Ninguém acreditou no que ouviu, e, apesar da inacreditável cara de pau de Catarina, ninguém ousou duvidar. Eu mesma, Biá, não duvidei, vibrei por dentro enquanto alguma coisa me escorria do ventre. Só Cibele não se deixou excitar.

— Ela teve vontade de socar minha cara! — disse Catarina.

E disse também que Cibele respirou fundo e conspirou. Desenhou na hora como avacalhar sua história com Vitor. Foi logo perguntando:

— Nós somos amigas, não somos, Catarina?

Catarina concordou, encantada com a elegância que viu surgir subitamente.

— Pois então, não vai ser Vitor quem vai estragar tudo entre nós, daqui pra frente seremos mais inseparáveis do que nunca!

No dia seguinte, quando Catarina e Vitor chegaram na pizzaria, quem estava lá esperando por eles mais inseparável do que nunca? Cibele.

Estava feito o triângulo, Biá, bastante isósceles, diga-se de passagem. Vitor acabou se embolando de igual maneira nas duas possibilidades que tinha diante de si: Catarina, com todo o seu charme, e

Cibele, com sua beleza de parar o trânsito. Em resumo, uma tremenda novela jorrou da boca de Catarina naquele dia, com direito a uma prosa teatral e passional dos encontros e desencontros, confissões apaixonadas, amizades em risco no melhor sangue latino. Eu ouvi tudo aquilo lutando com os botões do seu vestido, que não acabavam nunca. Pela excitação de Catarina, a noite seria definitiva. Ela se encontraria com Vitor sem a presença de Cibele, que adoecera e fora proibida pela mãe de sair. "Enfim sós!", gritou eufórica, prometendo ousar. Muita emoção envolvida, e eu ali, encantada em ser confidente de todas aquelas intimidades. Hoje, tudo me parece tão tolo... mas eu simplesmente amava aquilo, Biá. Durante nossa conversa, Catarina acendia um cigarro atrás do outro e me passava na maior naturalidade para que eu desse meus tragos, deixando claro que não mais me considerava a amiga pequena da irmã caçula, mas alguém com quem podia perfeitamente dividir um cigarro. Aquilo valia mais do que mil menstruações. Eu me sentia adulta. Naquela sexta-feira à tarde, passei um bom tempo ouvindo e desejando que aquela conversa não acabasse nunca. Fui embora, mal podendo esperar o dia seguinte para saber o desfecho da noite que prometia ser inesquecível.

Quando saí da casa de Rita, vi o pai dela e minha mãe na porta de minha casa. Estavam tão compenetrados. Pareciam discutir algum problema de trabalho. Eduardo, quando me viu, foi logo perguntando: "Conseguiu arrancar Rita daqueles livros? Ela anda exagerando." Eu disse que não, que o máximo que havia conseguido fora um abano de mão, sem nem sequer um olhar para acompanhar. Minha mãe quis me manter ali com eles, mas eu escapuli, com medo de que o cheiro de cigarro me denunciasse o vício, e quando por costume me virei para encostar o portão, pensei ver o vulto de Rita já desaparecendo nos fundos da casa por onde eu sempre passava quando subia a grade que dava em seu quarto. Mas naquela hora eu só conseguia me importar com Catarina.

Mal dormi à noite, me apaixonando também por Vitor. Eu, que nunca o tinha visto, fiz Mick Jagger encarnar o sujeito em minha imaginação. Revivi cada detalhe daquela história quando me deitei na cama. Passei e repassei o dedo na pele fina do antebraço e constatei que era mesmo impossível escapar. Fiquei excitada, louca para saber de todos os detalhes do encontro a sós entre os dois, que deveria estar acontecendo naquele exato momento em que eu me revirava na cama. Torci por Catarina. Beijei de língua as costas da mão, imaginando o beijo que eles poderiam estar dando. Onde um beijo como aquele iria parar? Apertei as pernas uma na outra na iminência de pequenos gozos, sentindo-me apaixonada. E foi assim que adormeci às vésperas de um dos piores dias de minha vida.

Quando acordei, era sábado, e minha mãe pediu que eu ajudasse nas coisas da casa, embora minha vontade fosse atravessar a rua e ir ter com Catarina. Mas era cedo demais, ela deveria estar dormindo. Fui ao mercado, ajudei a guardar as compras, almoçamos, e depois passei horas com minha mãe limpando e organizando os livros no escritório. Livros que tinham sido de meu pai, Biá. Você iria se esbaldar em nossa biblioteca. Quando nos mudamos, minha mãe deu a maior parte dos livros, porque em nossa nova casa não havia lugar para um escritório. Hoje, meu coração aperta quando penso que não aproveitei a biblioteca de meu pai, nem prestei atenção direito, não dava valor. Naquela tarde, inclusive, amaldiçoei cada um daqueles livros, irritada com a tarefa de espanar um por um, mudando pilhas e pilhas de lugar, obedecendo aos comandos de minha mãe: faz isso, faz aquilo. Quando terminamos, não tive dúvidas: atravessei a rua e fui para casa de Rita, com Catarina na cabeça. Como de costume, passei pelos fundos e subi pela grade. A porta da varanda estava aberta, entrei no quarto sem fazer barulho. Rita me olhou e não fez nenhum movimento. Fiquei esperando para corresponder à altura um aceno de mão, uma viradinha de cabeça, mas ela não fez nada. Voltou a atenção para o caderno que tinha nas mãos, anotando alguma coisa, e, sem me olhar, disse com todas as letras:

— Vai embora.

— O quê? — perguntei, achando que era brincadeira.

— Vai embora, Olívia — ela repetiu, ainda sem me olhar.

Fiquei confusa, sem entender direito o que estava acontecendo, um pouco desconcertada. Logo me ocorreu que deveria ser um estresse passageiro por causa de alguma dificuldade nos estudos. Achei melhor não discutir e comecei a andar em direção à porta do quarto, pensando em procurar Catarina para saber sobre o encontro com Vitor, quando Rita gritou:

— Sai por onde você entrou.

— Que é isso, Rita? O que está acontecen...

— Vai embora da minha casa por onde você entrou, entendeu?! — berrou ela, me encarando como uma inimiga.

Tentei abrir a porta, ignorando o comando, mas estava trancada. Minhas pernas ficaram bambas. Aquilo era tão inesperado que eu não conseguia reagir. Fiz o que ela mandou, voltei para a varanda e comecei a descer pela grade. Então, ela apareceu lá no alto e me chamou: "Olívia." Por um segundo pensei que se desculparia, mas ela foi definitiva: "Não volte."

Naquele dia, Biá, descobri que da casa de Rita até a igreja são 146 passos. A grade de sua casa é feita de 220 ferros, com uma distância de um palmo entre eles. As casas pelo caminho, tanto as do lado direito quanto as do lado esquerdo, somavam 27 janelas. Eu contava e recontava os passos. As grades. As janelas. Indo e vindo sem parar. Primeiro contei mentalmente, depois em voz alta, como alguém que enlouquece de repente. Presa aos números, tentei não ouvir a voz de Rita: "Não volte." Mas sua voz se tornou uma presença sólida dentro de mim, como uma espada me atravessando *da garganta ao ventre. Eu me transformei naquela frase e a carreguei comigo até ficar exausta. Fui para casa, sem querer encontrar minha mãe, temendo que ela me visse e soubesse, só de me olhar, o que tinha acontecido. Ela adivinharia tudo. E então cuidaria de mim, e eu não daria conta de sua suavidade. Qualquer carinho iria me ferir ainda mais. Só a solidão cabia, só o buraco escuro, como você o descreveu para mim, Biá, "um lugar onde nada do que eu via eu pudesse ver". Mas minha mãe não me olhou, não viu que eu tremia, e eu recusei a sopa que ela me ofereceu, já sabendo que não poderia segurar a colher com mãos firmes. Ela não protestou. Minha temperatura se desregulou, picos de frio e calor. "Não volte." Como Rita pôde fazer isso? Você acha mesmo, Biá, que eu não tinha direito a uma explicação? Nós éramos amigas. Deitei na minha cama encolhida como um tatu-bolinha, fui me apertando para não caber dor, nem pensamentos. Me apertei até que minhas unhas cortaram as palmas de minhas mãos. "Não volte" tomou a forma de mil agulhadas no meu estômago. Nós éramos irmãs, Biá. Que esquecimento hostil era aquele? Uma vez, às vésperas da festa de quinze anos de Rita, um chiclete se embolou no cabelo dela, e aquilo virou uma bola tão emaranhada que foi preciso cortar curto. Todas nós, meninas de quinze anos, tínhamos os cabelos longos e muitos planos para o que faríamos com eles aquela noite. Rita, a garota que nunca se abalava, não parava de chorar. Sofreu de verdade, como eu nunca tinha visto, e decidiu que não iria mais na própria festa. Os convidados começaram a chegar, e ela não aparecia. Foi quando eu entrei em seu quarto, com meu vestido longo verde, cheio de pequenos brilhos, e com os cabelos ruivos tão curtos quanto os dela. Quando me viu, seus olhos acenderam todas as luzes, e ouvir o que ela disse valeu cada fio de cabelo cortado: "Você sempre vai ser minha melhor amiga." "Nós seremos as garotas mais incríveis dessa festa", prometi a ela. Como ela pôde se* esquecer disso, Biá? Como se esqueceu do que éramos? Deitada na cama, senti um desespero, uma urgência em desfazer aquele mal-entendido. Decidi ir até lá, levantei resoluta, estava pronta para me ajoelhar e me desculpar, não me importando por qual motivo. Se fossem ciúmes de Catarina, eu me afastaria dela, não ia querer mais saber de Vitor, nem de Cibele, nem de nada que não fosse ter Rita de volta. Mas não pude dar nem um passo. Meu quarto começou a girar, e um jato de vômito lambuzou tudo, me fazendo perder o resto das minhas forças.

Os dias vieram depois, um atrás do outro, lentos e esquisitos, passando apertados pela minha garganta. Fui entendendo, torturada e aos poucos, que na boca de Rita as palavras não voltavam atrás. "Não volte" significava "não volte". Assim como "Eu não brinco nunca mais com você" significou, para Violeta, o exílio. Por muito tempo acreditei que comigo seria diferente, que tínhamos um passado capaz de nos proteger. Mas a primeira vez que me encontrei com Rita depois daquele dia, soube que estava enganada.

Foi um dia de manhã, indo para aula. Como sempre, abri o portão, e ela já estava na porta de casa. Nós nos olhamos, e eu imediatamente me descontrolei, não sabia como me comportar. Ela não. Ela apenas não me viu. Eu não existia mais. Durante muitos dias acreditei que tudo se resolveria na força de um reencontro, mas o que constatei foi que Rita viveria sem mim.

Depois disso, nos cruzamos mais umas duas vezes na porta de casa, cada uma no seu passeio, e da mesma forma continuei invisível para ela, enquanto ela se fazia insuportavelmente presente. Eu me sentia muito mal a cada confirmação do nosso afastamento, e aquilo invadia meus dias e ganhava minhas noites, me condenando a longas insônias. Mas o pior momento, Biá, aconteceu poucos dias antes de nos mudarmos. Rita passou no vestibular e deu uma grande festa em sua casa. Eu soube da movimentação logo cedo.

As janelas foram todas abertas, as cortinas enroladas e presas do lado de fora, deixando visível uma arrumação digna de um baile. Começaram a chegar bebidas, mesas, som e luzes para uma festa dançante. Ângela, que trabalhava lá em casa, deu notícias assim que voltou da padaria:

— Que festão na casa de Rita, hem? Estão soltando foguete de tão felizes. Ela bem que merece, estudou demais, né, Olívia?

— É, estudou demais, Ângela — respondi com imensa má vontade, mas ela ignorou, animada.

— Zenilda disse que nos últimos tempos só cozinhava o que Rita gosta, mas mesmo assim ela perdeu uns cinco quilos, nem comia para não ter que parar de estudar.

— Pois é — concordei, desejando que ela se calasse.

— Vocês duas são danadas mesmo, passaram assim de cara. Você é capaz de ser até mais inteligente do que ela, estudou menos e passou do mesmo jeito.

— Devo ser, Ângela, devo ser! — disse, levantando da mesa.

— Deve mesmo, você passou do mesmo jeito. Agora, acaba que a festa dela vai ser para vocês duas, não é? — insistiu.

Nem respondi, subi para o meu quarto e lá fiquei. Minha mãe já estava empacotando as coisas para a mudança. Reclamou minha ajuda algumas vezes, mas fui bem clara em desencorajá-la. Meu humor estava em frangalhos. A qualquer momento ela me perguntaria se eu não iria à festa, e eu desabaria. Fantasiei sua proteção, seu colo, suas ameaças de fazer um escândalo na missa caso continuassem a me maltratar. Imaginei Luciana trazendo Rita pelo braço e a obrigando a se desculpar. E me larguei na cama, tentando fazer aquele dia passar sem minha presença.

A uma certa hora, resolvi me arrumar como se estivesse indo à festa, decidida a evitar as perguntas de minha mãe. Mas, se na época eu suspeitava, hoje tenho certeza, Biá, que minha mãe estava completamente indiferente ao que eu faria ou não aquela noite. Escolhi um vestido vinho, com duas pregas leves abaixo de cada seio e um decote que Rita dizia me valorizar. Prendi a parte da frente do cabelo, deixando algumas nesgas soltas ao redor do rosto. Fiz uma maquiagem leve e apenas a boca tingi de vermelho. Em seguida, me despedi de minha mãe, e ela me olhou com imenso esforço para aterrissar, me abraçou e disse: "Parabéns, filha, você é uma alegria." Achei sincero e custei a manter a farsa. Me concentrei na música alta lá fora e saí. Dei uma lenta volta a pé no quarteirão e acabei me instalando atrás do portão, a meio palmo aberto, de onde eu podia ver a festa que se desenrolava indiferente à minha ausência, no burburinho jovem das vozes cantando com fé "abra suas asas, solte suas feras".

Ali fiquei, reconhecendo algumas pessoas que entravam tardias, outras que vinham para fora tomar um ar, aprofundar um sarro, dividir cumplicidades barulhentas e cigarros. As luzes do quarto de minha mãe se apagaram, eu já poderia entrar em casa sem o risco de ser abordada. Mas quis ficar ali. Acabei me cansando e achei seguro sair e me sentar na mureta do vizinho, bem ao lado de casa. Ali, fiquei na monotonia da música alta abafada pelas paredes, na soma indecifrável das vozes, das luzes vazando pelas janelas, até que vi Rita, sozinha, saindo para o gramado. Meu coração disparou, não havia tempo de entrar e me esconder. Ela girou o corpo repetidas vezes, com os braços abertos, como fez na primeira vez que a vi. Talvez tivesse bebido. Os cabelos novamente longos, completamente livres, flutuaram durante seu giro. Vestia um terno preto, que eu não conhecia, com ombreiras imensas. Achei aquilo tão arrasador que mal podia respirar. Ela estava adulta, moderna e a léguas e léguas de mim. Quando parou de girar, bastaria desviar levemente os olhos para me ver. Mas ela olhou para o céu e pouco depois reagiu ao *ouvir alguém chamando por ela. Deu as costas e começou a caminhar de volta para a festa. Aproveitei para me levantar, decidida a ir para casa, mas nesse momento ela se virou novamente e por um segundo nos olhamos. Nós nos olhamos, Biá, e o mundo ficou suspenso e distante. Éramos só nós duas ali, mas ela preferiu continuar não me vendo.*

Antes de entrar em casa, vi com que requinte a boca banguela da vida dá suas gargalhadas. Lá embaixo na rua, vinha subindo lentamente, segurando uma sacola que me parecia pesada demais, Violeta. Esperei. Ela passou em frente à casa de Rita sem olhar para os lados, sem se interessar por nada que acontecia ali, e prosseguiu completamente adaptada a viver do lado de fora. Senti que compartilhávamos um exílio e que, talvez, o tempo me desse a capacidade de andar olhando para a frente, como dera a ela.

Parei de ler para Biá e por alguns minutos fiquei com a imagem de Violeta nítida na memória. Eu já estava lendo há mais de uma hora. Olhei para as páginas que ainda faltavam, não era muito. Biá tinha os olhos fechados, talvez dormisse. Então falei o mais suave que pude, tentando não perturbá-la:

— Minha querida, acho melhor continuarmos outro dia! — disse, já dobrando os papéis. — Você deve estar cansada, vou deixar tudo aqui, assim você mesma pode ler se tiver vontade. — Ela reagiu abrindo os olhos e segurando meu braço. — Eu volto outro dia. Podemos combinar assim? — perguntei. Ela se inquietou. — Você quer alguma coisa? Uma água? Está com fome? Diná já deve ter chegado. Posso chamá-la — disse, já ensaiando me levantar. Mas Biá apertou meu braço com mais força, como se tentasse me segurar. — Quer que eu continue a ler? — perguntei, sentindo a aflição se apoderar dela.

Ao ouvir minha pergunta, ela foi aos poucos aliviando a pressão que fazia em meu braço. Fechou os olhos e esperou que eu continuasse.

— Umas semanas depois da festa de Rita minha vida mudou completamente, Biá. Eu e minha mãe fomos morar em um apartamento em outra região da cidade. Para quem tinha vivido a vida inteira em uma casa, aquilo era uma diferença a ser administrada. Para começar, nosso apartamento era no quinto andar, o que me obrigava a viver entre dois sofrimentos: subir as escadas ou andar de elevador. A tragédia de meu pai seguia comigo, e, nas poucas vezes que escolhi o elevador, passei alguns segundos preferindo a morte. Assim, para não perder mais tempo tentando me convencer de que era bobagem ter medo, optei definitivamente pelas escadas, sem, no entanto, parar de amaldiçoá-las.

Minha mãe não fez rodeios para me aconselhar a manter certa distância dos vizinhos. Foi uma ordem que ela, elegantemente, fez parecer uma reflexão. Evocou, só Deus sabe a que custo, a figura do sr. Dantas para me convencer de que ficaríamos melhor se mantivéssemos apenas uma relação de formal cordialidade com as pessoas do prédio. Não foi difícil atendê-la. Parecia um desejo de todos que permanecêssemos estranhos uns aos outros, apesar de termos sido forçadas a compartilhar pedaços de intimidade que preferíamos desconhecer. Como o acesso matinal de tosse encatarrada do vizinho de cima, que impregnava as áreas comuns com seu cheiro de cigarro de toda uma vida; a sistemática rotina sexual dos vizinhos ao lado: pontual, rápida e diária; ou a mãe histérica dos capetinhas do andar de baixo, cujos gritos subiam lá pra casa como um balão cheio de gás hélio. De qualquer maneira, não havia pessoas da minha idade no prédio, e como naquela época só as pessoas da minha idade interessavam, não foi um sacrifício atender ao *pedido de minha mãe, mesmo que com o tempo eu tivesse adquirido um certo gosto em contrariá-la.*

Talvez o mais difícil para mim em toda aquela mudança tenha sido justamente a proximidade de minha mãe. E não estou falando de distâncias simbólicas, Biá, falo de falta de espaço físico mesmo, de trombar com ela a todo momento. Nosso apartamento era um ovo, e passamos a sentir demais nossos humores. Os meus, os mais variados possíveis; os dela, imutáveis. A impávida Laura me torturava com seu semblante indecifrável. Envolta em neblinas, restos de depressão e passado, deslizava discreta sob suas rodinhas silenciosas e invisíveis e mesmo assim se tornou uma presença excessiva para mim. Os maus hábitos ficaram salientes, não os dela, os meus. Um novo jeito de conviver se impôs, e com ele implicâncias até então desconhecidas. A elegância de minha mãe começou a enervar minhas veias tonificadas pelo desejo crescente de rasgar as regras. A revolução estava dentro de mim, e até sua beleza passou a me incomodar. A sorte é que em pouco tempo minha vida do lado de fora deu uma guinada tão grande que ficar em casa se tornou uma exceção, e, quando acontecia, eu estava dormindo.

Mas, de todas essas mudanças, nada foi mais radical do que entrar para a universidade. Um novo mundo em todos os sentidos se abriu para mim. Comecei a cursar jornalismo, e os segundos, as horas, os dias eram intensamente convividos com pessoas completamente novas, pensando e fazendo coisas que eu nunca tinha feito. Foi como nascer de novo, trocar de pele, trocar todas as paisagens por onde eu havia circulado até então. Ninguém do meu passado andava por ali. Ninguém sabia nada de mim. Ninguém esperava nada. E com isso, Biá, experimentei a sensação de ser livre.

O curso abriu minha cabeça, e de repente passou a existir sociologia, lógica do pensamento, crítica social. Conheci o cinema, a semiótica, as discussões apaixonadas. A convivência com pessoas tão diferentes me fez ver o quanto minha vidinha era besta e o quanto poderia deixar de ser. Existiam as madrugadas, as cervejas geladas, a vodca irresponsável e a sedução. As palavras de meu pai, quando eu nasci, ganharam um real significado: "Ouse, ouse tudo! Seja na vida o que você é, aconteça o que acontecer." E, então, o melhor se colocou diante de mim, quando eu me coloquei diante do espelho e descobri que ser ruiva e ter sardas estava longe de ser uma desvantagem. Passei a me olhar e a acreditar que podiam gostar do que eu via. Não que eu tenha sido uma coitadinha complexada. Nunca fui. Ao lado de Rita me senti, muitas vezes, poderosa, mas sempre com uma força que emanava dela, não de mim. Isso mudou. Passei a acessar meu próprio arsenal, a namorar os rapazes que escolhia. Quem diria, Biá, eu estava me sentindo no comando. Minhas conquistas funcionavam, meus olhos também eram perturbadores. Perdi a virgindade, meu par de seios se mostrou realmente sensacional, meu corpo virou minha festa; minhas sardas, confetes; parei de imaginar que me rejeitariam. Fiz muitos amigos, em especial amigos homens. Sempre tive mais interesse em ter amigos homens, como se a amizade masculina afirmasse mais coisas boas sobre mim do que a amizade com outras mulheres. Uma estupidez, talvez consequência de minhas experiências pregressas com as meninas. Comecei a acreditar que ser jornalista fazia com que eu soubesse coisas que uma engenheira civil, como Rita, jamais saberia. Ela devia estar lá, empobrecida pelos números, o pensamento exato exterminando sua sensibilidade, fazendo um medíocre proveito de sua vida rica e previsível. Sua humanidade, já bastante suspeita a meus olhos, estaria à míngua. Enquanto eu, ao contrário, seguia radiante, tomava a dianteira, pronta para rir por último, sem me dar conta de que a referência continuava perigosamente sendo ela. Aquela súbita e crescente autoestima me fez confiar que Rita era um passado superado, mais do que isso: Rita não tinha sido sequer tão importante. Não passava de uma fantasia adolescente. Eu me convenci, ou tentei me convencer, Biá, de que minha vida só começou pra valer depois que ela se foi. Que o tempo esmaeceria tudo o que veio antes, e o que nos aconteceu se acomodaria em escassas e vagas lembranças. Nada capaz de me afetar novamente.

E assim os anos foram passando, saí da universidade, comecei a trabalhar, saí de casa, passei a morar com duas amigas. As responsabilidades aumentaram, o namoro ficou sério, se tornou longo, os compromissos começaram a me esmagar, e ser adulta deixou de ser uma novidade. As ilusões caminharam todas para a realidade. Casei, separei tão rapidamente que imagino ter batido algum recorde. Tomei plena posse de toda encrenca e bem-aventurança de me virar sozinha. Retomei o convívio com minha mãe e o gosto de estar com ela, porque não há escapatória: dos pais viemos e aos pais retornaremos, e não sendo assim provavelmente será mais triste. Eu e dona Laura nos reaproximamos sem o peso da dependência, e passei a ir vê-la pelo menos uma vez por semana. Numa dessas ocasiões, um sábado à tarde, fui visitá-la. Encarei a escadaria e entrei ofegante, quase sem ar, em sua casa, chamando por ela, disposta a convencê-la a se mudar dali. Caminhei até seu quarto e me certifiquei de que ela estava no banho. Fui até a cozinha procurar alguma coisa para beber e aplacar aqueles malditos degraus. Quando atravessei a sala de jantar, reinava, sobre a mesa, com indescritível beleza, um jarro de cristal, todo lapidado em pequenos losangos, repleto de rosas de papel em tons de goiaba, amêndoa e chás. Eram rosas de Luciana. Eu as reconheceria em qualquer lugar do mundo. Uma ao lado da outra, em delicadas diferenças de altura e inclinação, compunham um arranjo que encheu meus olhos e invadiu meu coração, deixando vir à tona, por alguma passagem clandestina, todos aqueles anos e as intensidades que eu considerava mortas. Um vaso de rosas com poderes de apertar um botão e explodir o passado em mim. O que me parecia enterrado, absorvido, eliminado em definitivo, emergiu. Veio à tona minha saudade, e a reboque um coração machucado. Revivi as janelas abertas, as cortinas brancas flutuando leves e a luz suave possuindo as rosas como na primeira vez que fui à casa de Rita. Aquela casa onde me sentia envolvida por coisas que podia amar. "Não volte", gritou ela, interrompendo bruscamente o que nós éramos. E ali na sala modesta de minha mãe senti meus dedos tocando ferro por ferro as grades do jardim no dia em que fui expulsa. Duzentos e vinte ferros gelados me aprisionando do lado de fora daquela casa. Minha mãe entrou na sala trazendo com ela um leve perfume. Os olhos brilhavam, os cabelos molhados davam a ela um frescor que eu não via há anos, duvidei que já tivesse visto. Percebeu que eu e as rosas travávamos um combate.

— São de Luciana, mãe de...

— Eu sei, mãe. Óbvio — retruquei, ríspida.

— Ela esteve aqui agora, acabou de sair. Não nos víamos há uns quinze anos ou mais. Acredita?

— Esteve aqui sem mais nem menos... Apareceu do nada? — perguntei.

— Não exatamente do nada. Ela ligou outro dia e veio hoje. Foi muito bom, Olívia, porque algumas coisas precisavam...

— São lindas as rosas — interrompi, sem conseguir abrandar a confusão que sentia.

Meu tom seco deixava claro que não era um elogio o que eu pretendia fazer, era apenas o desejo de calar minha mãe.

— São mesmo lindas. Luciana sempre teve muito bom gosto, e uma habilidade fora de série — disse minha mãe, tentando não se deixar abater pelo meu mau humor.

Observei em silêncio suas mãos longas e delicadas deslizando amorosas sobre as rosas, conscientes de que não deveriam alterar um milímetro sequer a configuração daquele arranjo.

— Os jarros e as rosas estão sempre por perto, não é, mamãe? Sempre te rodeando de alguma maneira...

Lembro de minha boca seca quando joguei essas palavras sobre minha mãe. Meu tom de voz era mordente, meus olhos inquisidores. Não sei que acusação eu estava tentando fazer, mas me concentrei em levá-la adiante como se fosse culpa de minha mãe aquele maldito jarro me surpreender com a persistência de minha própria mágoa. Minha dor de plataforma vazia, Biá, veio à tona com a força das coisas mal resolvidas. Os resíduos tóxicos do passado começaram a boiar. Não havia indiferença em mim. Vi que minha rispidez afetara minha mãe, e ainda assim ela tentou contornar as coisas, como era de seu elegante feitio.

— Luciana perguntou por você com muito carinho. Disse que sempre acompanha seus artigos no jornal e fica muito orgulhosa...

— Posso imaginar o tamanho do carinho pelo número de vezes que ela me procurou todos esses anos. — Não havia disfarce para minha ironia. — O que mais ela contou?

— Contou um pouco do que vem vivendo, Olívia. Apenas uma boa conversa. Deu notícias das meninas, da empresa, da casa e do quanto já gostamos uma da outra... foi muito bom que nos lembrássemos disso.

— Que notícias?

— Contou que Catarina tem dois filhos do primeiro casamento. Separou e agora parece que reencontrou um antigo namorado e está se acertando com ele. Os netos são a alegria da casa, gêmeos idênticos, amor em dobro, segundo ela.

— O que mais?

— Rita está na África do Sul com o pai. De tempos em tempos eles vão pra lá a trabalho, a empresa tem muitos negócios no país, e Rita está tomando a frente das coisas, fazendo mudanças importantes, parece que é uma profissional muito competente.

— O que mais? — perguntei, tentando ignorar o efeito do que ela acabara de dizer sobre mim e sobre o destino em que eu havia

afivelado Rita. África!? Nada exato, nada à míngua, nada como eu desenhei. Isso me irritou bastante.

— Um pouco de cada coisa, fomos nos atualizando.

Então ficamos um tempo em silêncio, minha mãe me olhando compreensiva, talvez avaliando se iria ignorar o que estava vendo. Não ignorou.

— Você nunca me contou o que aconteceu entre você e Rita. — Fiquei calada. — Desculpe não ter percebido, filha.

Senti o choro subindo pela garganta e estava decidida a não deixá-lo avançar. Travei os dentes, irritada com aquela vontade de chorar descabida.

— Vocês nunca mais se falaram?

— Não.

O peso daquele "não" se impôs. Era a primeira vez que eu o admitia em voz alta. Não havia mais nada a ser dito. E muito menos a ser ouvido. Eu apenas queria lidar com o tumulto que me atingiu.

— Preciso ir.

Foi tudo o que consegui dizer antes de sair e deixar minha mãe com seus olhos de outono. Mais uma vez não sabíamos nada uma da outra.

— Depois que conheci você, Biá — eu disse, parando de ler —, nem sei quantas vezes já contei sobre esse dia, lembrando cada palavra que troquei com minha mãe, dissecando nossa conversa, o que dissemos, o que calamos. Tenho sempre a sensação de que ela queria dizer alguma coisa e eu não escutei. Mas hoje, aqui, vendo você nessa cama... o que me veio à mente foi Irene. A sua Irene, a do cruel, a das cicatrizes. Aquele dia, com minha mãe, me senti como você disse ter se sentido quando me contou a história dela, muito boa em imaginar uma dor imensa demais diante de tão pouco. Demorei a entender que não temos que nos desculpar por nosso sofrimento, Biá. Um amor interrompido não é uma dor qualquer. Não é uma dor qualquer ser interditada, impedida de estar com quem amamos justamente por quem amamos. É uma dor cheia de direito.

Biá começou a passar os dedos com gastura em um dos pulsos. Parecia não estar gostando da minha digressão. Interpretei como um sinal para que eu continuasse a ler, e foi o que fiz.

— Pouco tempo depois desse encontro com minha mãe, que libertara passado demais para o meu gosto, comecei a escrever um artigo sobre as condições dos passeios em Belo Horizonte. Estava em campo, caminhando, tropeçando, explorando diferentes regiões, empenhada em comprovar a minha tese de que nossa cidade, definitivamente, não nos convida a passear, quando recebi uma ligação. Atendi displicente, e do outro lado alguém disse:

— Olívia?

Mal consegui responder, meu coração pressentiu o que me parecia impossível.

— Olívia, sou eu, Rita.

Pus um esforço consciente em minhas pernas bambas e me afastei do fotógrafo que me acompanhava. Sequer pensei em perguntar que Rita? Não conheço nenhuma Rita. É o que eu deveria ter dito para forçá-la a se identificar. O que ela diria? Aqui é Rita, sua amiga? Sua ex-amiga? Sua vizinha? Rita, a que botou você para fora da vida dela? Mas eu não disse nada. Fiquei calada. Ela continuou.

— Olívia, eu queria me encontrar com você.

Continuei calada.

— É muito importante para mim.

Não me diga? É muito importante para você? Mais uma vez se trata de você, e não de nós? Como ela ousava dizer qualquer coisa antes de se desculpar, antes de admitir: eu fui uma babaca, estúpida, filha da puta com você, me perdoa. Eu deveria acabar com ela, Biá. Deveria estar sentindo ódio, pronta, há anos, para desprezá-la. Mas meu coração pulava como um rabo de cachorro, abanando sem vergonha sua alegria. Eu apenas disse: "Onde? Quando?" E nós combinamos o nosso encontro para o dia seguinte.

— Uma vez, Biá — disse, interrompendo novamente a leitura —, fiz um artigo sobre as crianças que mordem na escola. Aquela fase terrível em que alguns pequenos metem os dentes nos outros com frequência. De maneira que alguns se tornam os mordedores, e outros, os mordidos. Naturalmente, os pais dos que chegam em casa tatuados com as arcadas dos coleguinhas pelo corpo sofrem, se revoltam e ordenam enfáticos a seus filhos: "Se fulano morder você de novo, morde ele também." Acontece, pelo que pude entender, que, para algumas crianças, revidar a mordida dói mais do que serem mordidas. E a pressão dos pais para que elas não levem desaforo para casa acaba sendo mais uma dentada dolorosa. Acho que sou assim, Biá. Eu aguento a mordida. Para você ter ideia, depois daquele telefonema, passei o resto do dia pensando no meu encontro com Rita. Em como eu ainda queria impressioná-la. Em como queria que os anos que ela viveu sem mim lhe fizessem falta. Tudo que eu havia odiado nela ficou fora do meu alcance, e ignorei a pressão que a mulher descolada, engajada e atuante que eu havia me tornado fez sobre mim, mesmo sentindo que ela me enfiava os dentes. Eu apenas queria Rita de volta.

No dia seguinte, acordei com a ansiedade dos grandes dias. Nosso encontro era às quatro da tarde, e eu estava completamente disponível desde as primeiras horas da manhã. Era meu dia de folga, não ia trabalhar, e ainda assim me senti com pouco tempo para me preparar. Os cabelos lisos como os seus, Biá, são previsíveis. Nem mais nem menos bonitos a cada lavada, são o que são, a criatividade não é o forte deles. Possuem outras qualidades, como ignorar a umidade do ar, a força dos ventos e as marcas de xampu. Fizeram um pacto de obediência com a gravidade e simplesmente obedecem. Não inventam. Já os cabelos anelados, como os meus, são dotados de imaginação. Podem surpreender com movimentos harmônicos e belos ou podem se tornar dignos de uma merecida voz de prisão. Possuem má vontade própria. Quanto mais precisamos deles, menos eles se comportam amigavelmente. E se nesse momento de minha história triste, Biá, soa, aos seus ouvidos, irrelevante me ater ao comportamento imprevisível dos cabelos em geral, naquela manhã não havia nada mais importante. Não medi esforços para que minhas madeixas cooperassem e fossem legais comigo, que se avolumassem com personalidade e graça. Obtive respostas pouco entusiasmadas. E o calvário de minhas escolhas estéticas não parou por aí. Pus e tirei blusas: justas, largas, com e sem mangas, comportadas ou decotadas. As calças também me ofereceram fartas dúvidas: na-cintura-baixas-retas-bocas-de-sino-jeans-alfaiatarias? Parti para os vestidos, imaginando que, por serem peça única, resolveriam rapidamente meu problema, mas eles também não facilitaram: longos, curtos, rodados, plissados, tubinhos. E ainda era preciso considerar a melhor cor e percorrer a exaustiva ginástica de subir e descer dos saltos. Matematicamente, o céu era o limite. Tudo porque eu não fazia a menor ideia da Olívia que eu gostaria que Rita visse em mim. A dúvida não era a roupa, era a alma.

  Foi um dia vivido a cada respiração. Como aguentei tantos anos sem uma explicação e agora mal suportava os minutos? O simples telefonema de Rita, a voz calma, o tom suave ao dizer "é muito importante para mim" foram suficientes para antecipar que de alguma maneira eu ainda existia. Enquanto, de minha parte, eu reconhecia, com insegura excitação, que ela resistia poderosa dentro de mim.

Logo que saí de casa, o céu estava cinza-chumbo, tomado por nuvens pesadas, inquietas. O vento, em rajadas descompassadas, varria a poeira das ruas, espalhando no ar o cheiro de uma prolongada temporada seca. Há muito tempo não chovia em Belo Horizonte. Decidi ir caminhando e ignorei aqueles primeiros sinais de chuva. Alguns redemoinhos surgiam esparsos pelo caminho, aqui e ali, como se pequenos demônios finalmente saíssem de seus esconderijos. Pedaços de papel decolavam desorientados, trombando nos retrovisores dos carros e nos postes. As pessoas, que caminhavam pelas ruas, se encheram de objetividade. Os passos foram tomados de pressa. Uns se tornaram mais largos e decididos; outros, miudinhos e rápidos, como quem corre descalço em areia quente. Os primeiros pingos do que viria a ser uma violenta tempestade me fizeram buscar uma marquise, tapando com os antebraços os cabelos, para impedir que se molhassem. O vento se tornou agressivo, e as árvores tombavam no limite de uma perigosa elasticidade, todas para um mesmo lado, em um balé ameaçador. A chuva desceu torrencial, os raios pipocaram em cada pedaço de céu que os prédios deixavam ver, e os trovões explodiam seus graves, fazendo o medo se apoderar de mim como um presságio. A natureza, Biá, parecia subjugar a cidade, impondo-lhe seu direito de estar ali, anterior ao dela, livre para exercitar toda a sua força, indiferente ao que destruiria. A chuva de vento me obrigou a entrar na lanchonete mais próxima, já lotada. Eu estava molhada, os pés escorregando na sandália, e tudo que eu havia cuidadosamente arrumado despencara. Não há elegância possível em meio a uma tempestade. Quando me vi segura, respirando o disputado ar da lanchonete, as janelas embaçadas pelo bafo de tanta gente, o burburinho das vozes comentando a pancada lá fora, pensei em Rita. Onde ela estaria naquele momento? Será que, como eu, tentava chegar? Será que desistiria? Olhei as horas, eu ainda tinha tempo. Embora estivesse cercada por tanta água, minha língua colou no céu da boca. E se a chuva não passasse? Fui tomada pela angústia de quem vai estrear um espetáculo para o qual vem ensaiando há anos, como em uma disputa olímpica que se ganha nos milímetros. Eu estava na iminência de um grande momento: compreender. A tempestade, forte demais, não poderia durar muito tempo, tentei me acalmar. Pensei em ir ao banheiro, procurar um espelho para consertar o estrago, mas a fila me desanimou. Tive vontade de sair andando, chegar antes de Rita, esperar por ela, só pelo prazer de vê-la se aproximar. Senti a barriga contrair. A chuva começou a diminuir, os raios e trovoadas cessaram, e meu nervosismo aumentou. Segui pela rua desviando das goteiras que pingavam das árvores que se aguentaram de pé; galhos folhudos e gravetos de todos os tamanhos espalhados pelo asfalto davam a dimensão da tormenta. O que dizer? Tive ânsias de recuar. Uma árvore inteira tombada no chão impediu minha passagem, foi preciso dar uma volta pelo meio da avenida para contorná-la. Reconheci que, em todos aqueles anos, eu nunca desistira de Rita; bem lá no fundo, escondida por minha necessidade de seguir em frente, eu esperava por ela. Muita água ainda corria pelas ruas, rentes ao meio-fio, atrás das bocas de lobo, aonde os rios urbanos invariavelmente deságuam. O sol apareceu, puxando o reflexo das superfícies molhadas, que devolviam aos petelecos a luz dourada que caía sobre elas. Senti meus olhos brilharem. De repente tudo estava mais bonito, Biá, tudo já estava mais bonito para mim. As cores mais definidas, o cheiro de calma no ar, e não mais a morrinha da cidade, libertaram meus passos. A transparência do ar lavado ajustou meu olhar como uma lente, e foi em meio a essa nitidez que eu vi Rita. Do outro lado da rua. Os cabelos soltos, mais claros, levemente picados. Usava um vestido longo, talvez em linho cru, com um barrado de pássaros. Um bando de pássaros avermelhados em pleno voo, asas abertas, alguns já se *descolando do grupo e subindo solitários pelo tecido. Ela sempre dava um jeito de me surpreender.*

Rita estava ali, e eu reconhecia, assanhado dentro de mim, o desejo de me jogar em um abraço. Minha respiração exigiu atenção, como se fosse preciso vigiá-la. Não é fácil ter um corpo nessas horas, Biá, é ele quem aguenta o tranco. Parei de andar, fiquei ali, parada, observando cada detalhe, seu jeito de respirar e se mover ainda me era familiar. Apenas uma rua entre nós duas... então, ela se virou, seus olhos pousaram em mim, e ela me viu. Percebi que seu corpo também foi impactado. Nós nos olhamos por um tempo, não sei quanto tempo, o melhor tempo. Ela levou a mão direita ao coração como se o pegasse delicadamente e depois abriu a palma da mão em frente à boca e o soprou para mim. Você entendeu, Biá, o que ela fez? Ela me mandou seu coração como quem manda um beijo. Não pensei, apenas retribuí. Peguei meu coração com minha mão direita e soprei para ela. Rita então fez outro movimento, e eu o devolvi. Depois outro, e outros, e nós duas começamos a dançar no meio da rua como se ainda tivéssemos dezessete anos. Muitas coisas estavam sendo ditas naqueles gestos, Biá. Coisas que as palavras não seriam capazes de ajeitar. Só me faltava entender por que Rita nos tirou momentos como aquele por tanto tempo. Isso ainda pesava, meus gestos não tinham a leveza dos dela, a mim faltava compreender. As pessoas paravam para olhar, era bonito ver os movimentos de Rita. Um carro diminuiu a velocidade, atraído por ela, e outro que vinha atrás não conseguiu frear, tentou se desviar, mas acabou jogando o carro da frente em uma árvore, que caiu na hora. Foi tudo muito rápido, tirando o estrondo da batida, nada pareceu violento. Talvez a árvore já estivesse comprometida por causa da chuva, porque o carro mal encostou nela. Na confusão desviei minha atenção de Rita. Muitas pessoas se embolaram entre acudir e testemunhar, outros carros pararam, atravessei a rua já indócil com aquela interrupção e fui andando na direção da batida. Quando cheguei mais perto, ainda desnorteada pelo tumulto das primeiras providências, reconheci sob os galhos da árvore os pássaros do vestido de Rita.

Mal tive tempo de compreender o que via, alguém acusou histérico o que estava acontecendo, e muitos vieram acudir, em uma ação coordenada. Notei, aos poucos, que o som foi sumindo, como se um fio tivesse sido desligado. Passei a assistir a tudo sem ouvir absolutamente nada. As imagens pareciam fora de mim, e eu tão distante do mundo que não podia mais ouvi-lo. Comecei a correr. Corri em uma dimensão paralela e silenciosa, onde o que eu via me parecia indecifrável. Não mais havia em mim o que em mim traduzia o mundo. Corri, não como as pessoas que vi correrem da chuva horas antes, corri desumana como um bicho que tenta escapar de um predador sem se dar conta de que ele está dentro de si. Atravessei os cruzamentos de maneira suicida, sem olhar para os lados, ignorei as caras transtornadas dos motoristas diante de minha imprudência e seus braços vazando socos pelas janelas, me bombardeando ofensas. Corri o quanto pude, o sol perdeu a força. Escurecia, Biá, e eu ainda corria. Até que fui sendo resgatada, aos poucos, pelo som de minha própria respiração. Foi o que me trouxe de volta. Revi os pássaros presos sob a árvore tombada, os pés de Rita estranhamente inertes em minha retina. Eu precisava voltar e ajudar. Como pude fugir? Quem estaria lá quando aquela árvore não estivesse mais sobre ela? Custei a reconhecer onde estava, eu havia me afastado muito. Comecei a voltar aflita, imaginando Rita cercada de estranhos. Tentei correr novamente, mas não consegui, meus pés estavam machucados. Senti uma pressa insuportável me cobrando forças. Decidi pegar um táxi, mas, na ressaca da chuva, os poucos que não desapareceram passavam lotados. Como pude abandonar Rita sozinha, justo quando não mais importava o passado? Foram os primeiros gritos que me fizeram fugir para o silêncio, gritos que nunca suportei desde a morte de meu pai. Tive vontade de chorar e mais vontade ainda de ser socorrida. Queria cair nos braços de alguém, queria que notassem que eu também estava esmagada. Sobre mim, uma floresta inteira. Abanei as mãos para todos os carros, em desespero. Consegui um táxi. Seguimos. Pelo vidro do banco de trás fui vendo a cidade lá fora. As árvores passavam indiferentes à minha aflição. Sempre gostei dos caminhos cercados de árvores, da sombra nos dias de sol quando tudo parece tomar fôlego. Mas durante a tempestade as árvores se tornam seres mal-assombrados e ameaçadores. Chegamos. O motorista reduziu o carro: "Parece que aconteceu um acidente", comentou, sem saber o que fazer. Pedi que ele passasse lentamente e estacionasse um pouco à frente. Notei que os carros batidos não estavam mais lá, apenas um carro da polícia ainda isolava o local, e a luz de sua sirene girava silenciosa, avermelhando o asfalto. De dentro do táxi, vi o pai de Rita, Eduardo, solitário, sentado em uma dessas muretas de jardim. Os ombros caídos, a expressão ausente e massacrada, como se escorresse de sua fronte um fio de sangue. Mais adiante, Catarina e um rapaz tentavam levantar Luciana, que se sentara no chão e segurava a mão de Rita, estirada a seu lado com o restante do corpo coberto com o que me pareceu ser um jornal. Quando o carro parou para que eu descesse, não consegui ir até lá, Biá. Encolhi, incapaz de abrir a porta. Pedi ao moço que me levasse para casa. Eu estava pequena como um covarde. A única coisa que me permiti pensar, sem a mais remota emoção, é que o rapaz ao lado de Catarina era parecido com Mick Jagger. Depois de todos aqueles anos dando a volta por cima, aqueles poucos minutos tiveram o poder de acabar comigo. Alguns dias depois, conheci você, e me agarrei com todo meu desespero em suas mãos, minha amiga. Com você, fui capaz de me esquecer um pouco.

    Minha história acabava ali, não minha tristeza, essa ainda teria fôlego para outras páginas. Dobrei as folhas do meu manuscrito e o coloquei sobre a cama, ao lado de Biá. Ela tinha os olhos fechados e a respiração suave. Beijei sua testa, pedi que ficasse boa logo para que pudéssemos continuar nossos encontros que eu tanto amava. Ela não se moveu, apenas sua mão esfregava insistentemente o punho já castigado com o atrito.

    Saí do quarto e fui procurar Diná. Eu já a conhecia de longe, cuidando de Biá à distância. Sempre me pareceu divertida, como se fosse um personagem de desenho animado andando na ponta dos pés, se escondendo atrás de postes mais finos do que ela. De tempos em tempos, aparecia um pedaço de Diná lá na esquina para conferir se Biá ainda estava na banca do Rodolfo. Algumas vezes, sem nos falarmos, trocamos tímidas mímicas, orquestrando algumas ações para manter Biá segura. Diná estava na cozinha preparando o almoço. Quando me viu, abriu um sorriso encantador, foi muito gentil, pareceu realmente contente em me conhecer de perto. Ali, a um palmo de mim, ela era bem mais desinibida. Disse que já tinha chegado há muito tempo, que esteve no quarto de dona Emma e viu que eu estava lendo para ela, não quis incomodar. Quando falei que estava indo embora, ela insistiu para que eu ficasse e almoçasse. Não sabia o que fazer para me anfitriar. Agradeci o convite sem considerar a possibilidade de aceitá-lo, e os olhos dela se encheram de lágrimas.

— O que foi, Diná? Está tudo bem? — perguntei, sensibilizada.

— Acho que dona Emma piorou muito... Estou com medo de ela não sair mais daquela cama.

— Aconteceu alguma coisa? Ela ficou assim de repente?

— Foi muito de repente, eu não entendi nada, nada mesmo. Cheguei aqui, na quinta-feira passada, atrasada. Está muito difícil chegar cedo, eu dependo de uma moça lá do bairro que fica com meu menino. Ela atrasa lá, eu atraso aqui. Ela não se aperta, faz uma cara de sonsa, e eu engulo porque preciso dela. Mas eu não sei passar a cara dela para frente, morro de aflição de atrasar, porque dona Emma fica sozinha. Teresa tem que ir trabalhar e não pode ficar me esperando. Só sei que quando eu cheguei, na quinta-feira, dona Emma não estava. Fiquei preocupada, já ia até ligar para a Teresa, quando ela apareceu, com um saco de pão numa das mãos e a outra agarrada, assim contra o peito, segurando uma bolsa preta. Chamou minha atenção porque a bolsa era enorme, e dona Emma estava agarrada com ela como se fosse uma boia, e eu sabia que aquela bolsa não era dela, porque sou eu que arrumo tudo aqui na casa e nunca tinha visto aquela bolsa em lugar nenhum. Então eu perguntei: "Dona Emma, que bolsa é essa que a senhora está segurando?", perguntei já esperando levar uma bordoada, porque dona Emma adora se enfezar comigo. No fundo, eu sei que não é comigo, é com ter alguém no pé dela. Ela não suporta. Mas, na hora que perguntei da bolsa, a reação dela foi muito estranha... por Deus, só naquela hora foi que ela percebeu que estava com a bolsa na mão. Chegou a se assustar, de verdade. "Não sei de quem é essa bolsa", ela disse. "Não sei onde peguei isso."

Então, ela esticou o braço, segurando a bolsa lá longe na ponta dos dedos, e ficou um tempão abobada, olhando como se nem soubesse que coisa era aquela na mão dela. E começou a ficar aflita e a falar, alterada: "Só falta essa agora, pegar a bolsa dos outros. Como é que eu fui fazer uma coisa dessas? Meu Deus, Diná, confere aqui de quem é isso?"

Eu peguei a bolsa e olhei. Era de uma tal Silvana Flores... Fontes... uma coisa assim... moça nova, tinha um tanto de documento, um pouco de dinheiro também e mais umas maquiagens. Dona Emma, parada do meu lado, foi ficando desesperada, se culpando, começou a andar de um lado para outro, apavorada com a situação. Eu peguei e falei com ela que a gente ia voltar lá na padaria e devolver a bolsa, que tudo ia dar certo, que ela podia ficar calma. E fomos as duas pela rua com a tal bolsa, e dona Emma falando daqui até lá, preocupadíssima:

"Vai que a dona da bolsa vê a gente com ela aqui no meio da rua e faz um escândalo. Você devia ter trazido uma sacola, a gente punha a bolsa dentro e não ficava nessa tensão de ser flagrada com a bolsa alheia." E ela parava um pouco para descansar e voltava a falar: "Não há outro nome para o que eu fiz, de fato não há: roubo. Se disserem 'vamos aos fatos': eu virei uma ladra! Não tenho argumento, Diná. Vou falar o quê?"

"Nós estamos quase chegando, dona Emma. Fique calma."

"Quando chegar lá, Diná, você diz que pegou a bolsa sem querer e que está tudo aí dentro!"

"Eu? Eu não, dona Emma, preta do jeito que eu sou, eles vão chamar a polícia."

"Velha do jeito que eu sou, eles vão chamar o asilo, vão querer me internar num hospício. É isso o que você quer? É para isso que você está infiltrada na minha casa? Eles vão achar que eu estou louca! Tem que estar de fato muitíssimo louca para não se dar conta de que está levando uma mala dessas para casa por engano! Quem vai acreditar que uma pessoa pega uma coisa desse tamanho distraidamente. Mente, claro que mente, é o que vão pensar se eu tentar me defender, e vão me enfiar numa camisa de força, Diná!"

Tive vontade foi de rir, e vi que dona Emma bem que gostou, porque o canto da boca dela ficou bem-humorado, não parou mais de falar daquele jeito exagerado dela. E quando chegamos lá, eu entrei sozinha, devolvi a bolsa e expliquei tudo direitinho. Contei que minha patroa já está muito idosa, às vezes confusa, levou a bolsa por engano e que eles podiam conferir que estava tudo lá. Eles olharam para ela e agradeceram por eu ter esclarecido tudo. Dona Emma voltou para casa bem mais calada, só comentou comigo: "Eu vi como eles me olharam, eu vi muito bem, Diná." Chegou aqui e já não conversou mais. E está assim, a gente fala com ela, e ela não ouve. E, se ouve, ignora, não quer saber mais de mim, nem de Teresa.

— Teresa me disse que o médico esteve aqui, não é? — perguntei.

— É, ele disse que está tudo bem com o corpo dela, o problema é a cabeça...

— Ou o coração — completei.

— Não, o coração está ótimo e a pressão está muito boa — disse Diná, sem entender que o coração a que eu me referia não fica no corpo.

Não tentei me explicar, precisava realmente ir embora. Voltei a me despedir e deixei com ela meu telefone anotado. Antes de sair, insisti:

— Ligue a hora que for. Se precisar de ajuda me chame, e, por favor, dê notícias.

Segui para o trabalho, mas antes passei na banca de Rodolfo para comprar a edição de *Os miseráveis* que ele estava guardando para Biá. Em nosso próximo encontro eu o leria para ela.

13º encontro

Meu telefone tocou.
Esperei que ele tocasse todos os dias depois de minha visita a Biá. Eu estava imersa em minha fragilidade. Trabalhando mal, dormindo mal, convivendo mal com todos ao meu redor. A morte de Rita se infiltrou em cada assunto que conversei sem que eu nada tenha dito sobre ela, amargou as comidas que comi, embora eu as tenha recusado a maior parte do tempo. Foi visível, aos olhares que me lançaram, o peso que eu arrastava comigo, e que a todos parecia apenas tristeza. Tristeza banal e superável, como é banal e superável a própria morte, mesmo que não o fosse para mim, mesmo que não o seja para aqueles que amam e sobretudo para os que ainda precisam das respostas que a morte enterra. O ar me faltava, embora eu respirasse sem esforço algum. As árvores me olhavam lá do alto com longos vestidos cheios de pássaros, deixando os caminhos por onde eu andava repletos de minha ausência. Eu ainda não tinha tido coragem de ir visitar a família de Rita. Agia como uma fugitiva. Muito tempo havia se passado. Biá se

ofereceu para ir comigo, seguraria em minhas mãos. Eles sabiam que eu estava lá quando tudo aconteceu. Minha mãe insistiu para que eu os procurasse, queriam me ouvir. Talvez interpretassem minha falta de consideração em ir ter com eles como culpa. Pelo menos era assim que eu mesma a interpretava. Não sei se sabiam como se deu minha separação de Rita quinze anos antes, mas agora sabiam que seu último olhar tinha sido para mim, que sua última dança havia sido comigo. Mais cedo ou mais tarde, eu iria vê-los, viria a coragem que ainda me faltava. O telefone tocou. Era Teresa dando notícias.

— O quê? — perguntei, sentindo ondas de frio e calor.

— Mamãe faleceu esta tarde, Olívia, e o enterro será amanhã, às treze horas, no cemitério da Saudade.

Quando desliguei o telefone, não havia silêncio possível em mim, apenas a gargalhada estridente e debochada da vida.

Anotações de Biá

Não vem da morte minha aflição. A morte é mais leve do que uma pluma. Já a responsabilidade de viver é mais pesada do que uma montanha. Minha aflição vem dos poucos dias que restam e as tantas coisas que se perpetuarão. Nunca li *Os miseráveis* em francês, e a certeza de que não o farei me arrasa. Não me desculpei com um aluno de quem tirei pontos por tê-lo visto arrancar uma meleca comprida do nariz. Quanta estupidez tem o poder sem sabedoria. E o amor? Há tanto amor que não experimentei. Não tive nos braços um rebento de Teresa. Só as mulheres sabem o que é ter um ventre. Um entre. Um fique até estar pronto. Um se alimente de mim. O ventre cheio de Teresa derrubaria nossos muros. Uma filha, quando se torna mãe, perdoa. Compreende com que quantidade de medos passamos a viver. Nunca usei um vestido vermelho. Como deixei isso acontecer? Toda mulher deveria usar um vestido vermelho pelo menos uma vez na vida, e festejar seu sangue, primeiro alimento da humanidade. Irão abrir minhas gavetas e decidir o que jogar fora, o que deixar empoeirar. Farão as caridades que não fiz vestindo com minhas roupas os que precisam. Teresa quando pequena rezava: "Papai do céu, faz todo mundo morrer junto." Todo mundo era eu e Teo. Talvez eu também devesse ter rezado. Tenho angústias com a vida que vai seguir sem mim. Minha vida nos outros. O quanto irão inventar, o que dirão que eu disse, o que farão que eu fiz. Só a versão dos vivos permanece.

14º encontro

Cheguei ao cemitério da Saudade ao meio-dia. O velório de Biá estava concorrido. O dia abafado e o cheiro das flores me deram náuseas. Circulei pela sala entre todas aquelas pessoas estranhas ouvindo pedaços de conversas.

"... há quanto tempo não nos vemos..."

"... a universidade está falida..."

Não pude deixar de pensar no quanto a vida continua depois da morte.

"... ainda moro lá, no mesmo lugar..."

E como os sons de um velório se parecem com os sons de uma festa!

"... não acredito que eles se separaram..."

"... ela casou de novo..."

E como os assuntos ignoram a saudade que virá.

"... o síndico exigiu que eles pagassem o conserto..."

"... na feira hippie você encontra..."

E como a saudade virá para poucos.

"... ela fazia um bolo de laranja dos deuses..."

E como o inconfundível cheiro das flores exala, como trombetas, a decomposição a caminho.

"... a gente não escapa..."

E o quanto meu estômago enjoado acusava um vazio de fome, que ignorei por ter nojo de comida em cemitérios.

"... parece que ela teve um aneurisma..."

Então foi isso, um aneurisma.

Continuei avançando, desviando talvez dos parentes, dos professores universitários, quem sabe de antigos clientes, dos vizinhos de uma vida, e me perguntei onde estavam todas aquelas pessoas quando Biá estava viva. Às vezes é preciso morrer para voltar a existir. Até que, a poucos passos de mim, vi o corpo de Biá. Vazio. Relutei em olhar, sabendo que ela não estava mais lá. Foi desconcertante. A cor de cera da pele é sempre o que mais me impressiona, a carne morta. Os grandes olhos fechados, a memória ausente, fim de toda tortura, enfim o buraco escuro. Para onde ela teria ido com as mãos vazias sobre o peito? Notei seu pulso marcado, provavelmente pelo atrito da mão nervosa que eu mesma presenciara em nosso último encontro.

— Meus sentimentos, Teresa — foi tudo o que pude dizer.

Essa frase pronta, sem personalidade, sem a intensidade da falta que Biá me faria. Teresa agradeceu, o rosto cansado da despedida. A voz sem solavancos me atingiu em cheio, talvez porque tenha reconhecido nela uma delicada carícia:

— Minha mãe gostava muito de você.

Senti a nuca esquentar:

— Eu também gostava muito dela — respondi.

Atrás de mim, a fila, embora paciente, queria avançar, cumprir sua solidariedade. Balancei a cabeça pesarosa, comprimi os lábios, pisquei os olhos, apertei de leve as mãos de

Teresa, encerrando minha participação naquele ritual, levemente consciente de que exibia de maneira teatral o que me acontecia sinceramente por dentro. Como se fosse preciso mostrar meus sentimentos verdadeiros sentindo-os falsamente. Do outro lado da sala vi Diná, encostada na parede, abatida, os olhos esfregados. Tão coadjuvante na morte, ao contrário do que fora na vida de dona Emma, dividindo com ela os últimos atos. Decidi que iria abraçá-la. Mas, antes, olhei mais uma vez para Biá; seria a última, e esse pensamento me afligiu. Pensei em dizer alguma coisa que se parecesse com nós duas, em colocar junto de seu corpo o exemplar de *Os miseráveis* que trazia na bolsa e impedir que ela se fosse sem o que mais amava. E foi aí, nesse instante, que notei, na cabeceira do caixão, com as mãos levemente tocando as flores, a presença devastada de um homem.

Anotações de Biá

Teo, quando foi mesmo que começamos a nos amar? Temos versões diferentes desse prólogo afetivo. Existe a sua, a minha e principalmente a minha versão da sua versão. E, como você sabe, a ordem das palavras altera completamente o resultado das versões. Você fotografou aquele bosque fajuto ao lado da faculdade, queria o estranhamento da natureza entranhada no concreto, árvores cujas raízes mais cedo ou mais tarde trombariam no cimento. Enquadrou, aproximou, inclinou e clique!, fez a primeira fotografia de sua exposição: um olhar sobre a universidade. Ao revelá-la em seu quartinho escuro, o que foi que você viu? Eu. Lá no canto, afastada, sentada debaixo de uma árvore, lendo. Você não me viu na hora em que fez a foto, foi preciso antes uma revelação para que eu aparecesse. Pego de surpresa, tentando decidir se eu havia estragado ou dado um sentido a mais ao seu projeto, segundo suas próprias palavras, começou a se apaixonar. Ao me ver intrusa, passou a me ver, e isso me foi dito na primeira vez que fizemos amor. Não pude duvidar, ainda é uma das coisas mais românticas que ouvi de você. Você começou a me observar e a escolher os lugares da escola para fotografar tendo a minha presença como critério. Na lanchonete, no bar — sim, nossa escola tinha um bar onde o saber desinteressado ganhava doses etílicas!!! —, no murinho, no estacionamento, na sala de aula, nos corredores, onde eu estivesse estava a paisagem que você queria. Eu aparecia ao fundo, pequena, escondida, cortada, desenquadrada, mas eu sempre estava lá, e sempre estava lendo. Você disse que eu lia mexendo as mãos, o rosto se desenhando em conflitos e acertos, sofrimentos e prazer, cheia de intensidades, e que isso fazia com que suas fotos capturassem uma certa loucura. Enquanto você fazia exercícios premonitórios da minha loucura, eu ignorava sua existência, pelo óbvio e nobre motivo: os livros. Era para eles que eu olhava, era por eles que eu andava apaixonada. Não vi você me vendo. Até o dia em que cheguei à escola e dei de cara com uma parede inteira coberta por suas fotografias, sob o título em letras de cartolina mal recortadas: "O que se vê daqui". Você veio falar comigo com a velocidade de quem estava me esperando. Até hoje não sei se porque me imaginava autista e quis evitar que eu não visse o que estava diante de mim ou se porque temeu minha perplexidade ao ver que você me fizera parte do seu projeto sem me consultar. O fato é que você veio e me mostrou que a garota circulada por uma caneta preta em todas as fotografias era eu. Fora eu quem o inspirara, e, sem que eu tivesse tempo de saber o que senti, você me convidou para sair. "Chega de não me ver!" Foi o que você disse. E eu sei que meu amor por você começou nesse momento. Mas hoje, Teo, aqui no meu quarto, o seu amor por mim é só uma fotografia na parede.

15º encontro

Quando toquei a campainha, minhas mãos suavam, nem sei exatamente por que, não me sentia nervosa, apenas estranhamente constrangida, embora minhas mãos discordassem veementemente de mim. Talvez fosse Teresa. Ficar a sós com ela. Talvez fosse o encontro propriamente dito, frente às interrupções brutais que andavam me rodeando. Teresa cairia morta ao abrir a porta sem ter dito a ninguém onde guardou o envelope que me entregaria. Achei de mau gosto esse pensamento, mas dei asas à minha justificável morbidez. Sentia que sobre mim pairava a maldição do quase, a maldição do grande machado que interrompe afiado, sem dó, o que deveria vir com delicadeza. O dia depois da noite, a sede depois do sal, Rita depois do silêncio, Biá aos domingos. A confiável continuidade das coisas evaporara sem que eu pudesse mantê-las a uma distância segura das árvores e dos aneurismas. Tudo o que eu precisava para acalmar minhas mãos era o próximo passo.

Teresa havia ligado, encontrara um envelope com meu nome nas coisas de Biá. "Pensei que você gostaria de ver", disse ao telefone, com uma voz de quem limpa gavetas. Claro que eu gostaria, por mim já estaria comigo, a salvo de possíveis extravios. Mas ela só pôde marcar no sábado de manhã, único dia em que estaria em casa. Pareceu-me ansiosamente longe. Será que me convidaria para entrar ou me despacharia da porta mesmo? Imaginei com riqueza de detalhes o envelope me sendo entregue por debaixo da porta e uma fincada na coluna ao me abaixar para pegá-lo. Eu não conhecia Teresa, mas herdara de Biá uma certa dificuldade com ela. Nossos dois encontros anteriores não favoreceram minhas impressões. No velório de Biá, embora ela tenha sido atenciosa, notei que usava um colar que a mim parecia mais apropriado para os dias felizes. Impliquei com isso. Mas, quando a porta se abriu, uma voz tão acolhedora me convidou a entrar que senti uma pontada de vergonha. Com que desenvoltura inventamos as pessoas.

Teresa me recebeu de moletom, cara lavada, cabelo molhado, um pouco de olheira disfarçada pelo espírito das manhãs de sábado. Um cheiro de café recém-coado tomou conta da sala, e ela foi logo dizendo:

— Fiz um café para a gente.

Na mesa: frutas, queijo, pães e dois lugares cuidadosamente postos esperando por nós. Perguntei como ela estava, mas, ao contrário de meu interesse protocolar, ela parou, pensou e respondeu que se sentia cansada. Contou que era estilista de uma confecção e que naquele momento estava fechando uma coleção importante e o quanto isso a absorvia. Confessou que vir embora para casa não fazia com que parasse de trabalhar, não conseguia se desligar por completo. Estava o tempo todo tomando providências mentais, alterando coisas, tendo novas ideias, e que esse nível de envolvimento prejudicava seu sono e sua capacidade de descansar. Disse que era uma raridade ficar em casa em uma manhã de sábado, a tão poucos dias do lançamento, mas que precisava de um fôlego porque havia exagerado nos últimos dias. Falou sobre as dificuldades do setor, as dificuldades de mão de obra, e contou de maneira envolvente os contratempos inacreditáveis que acabara de viver. De repente, levantou correndo da mesa, se lembrando de que esquecera alguma coisa no forno.

  Fiquei sozinha observando a decoração cheia de personalidade, tentando avaliar o que era Biá naquela sala e o que era Teresa. Levantei da mesa e circulei um pouco, me perguntando em que momento ela incluiria a mãe em nossa conversa. Era uma sala grande com incríveis tacos de peroba rosa, conjugando estar e jantar. Alguns tapetes persas espalhados criavam ilhas aconchegantes com os sofás de couro surrados e confortáveis, cheios de almofadas de diferentes estampas misturadas com bom gosto. Senti vontade de passar uma tarde chuvosa esparramada por ali. Pequenas pilhas de livros na mesa de centro e no chão ao seu redor me fizeram imaginar Biá se sentindo em casa. Nas paredes, fotografias em preto e branco imensas, supus que fossem de Teodoro. Notei, no meio da sala, fazendo uma divisão entre os ambientes, um bufê de madeira que chamou minha atenção por seu design retrô. Sobre ele, um enorme prato acobreado, em que reconheci dobradas as folhas que escrevera para Biá contando minha história. Ao pegá-las, vi um envelope ofício com meu nome em uma elegante letra cursiva. Minha curiosidade foi física, subiu pelo peito abrasando minhas faces. O que será que Biá ainda me diria? Tive vontade de abri-lo sofregamente. Nesse exato momento Teresa voltou para a sala, e eu me senti flagrada na liberdade que tomei de bisbilhotar. Ela não deu importância. Carregava um bolo dourado em uma travessa e foi logo avisando:

—Você vai experimentar o melhor bolo de laranja do mundo! Desculpe a falta de modéstia, mas ninguém faz um bolo como eu. Tenho anos de treino e alguns segredos. Estou cada vez mais insuperável!

E então ela me serviu uma fatia larga ainda envolta em frágeis ondas de fumaça.

— Adoro bolo quente com café — disse. — Acho um conforto para o coração. Estamos precisando, não é, Olívia?

Senti os olhos de Teresa vasculharem com calma minha reação. Como se ela se referisse a alguma coisa específica com uma cumplicidade que me fez corar. Talvez falasse da mãe e da perda que tanto ela quanto eu tivemos. Talvez soubesse mais de mim do que eu desejava. Era isso, Teresa lera meu manuscrito, minha breve biografia não autorizada para estranhos. Senti uma intimidade indesejada. Recuei, como se uma aproximação qualquer entre nós duas fosse um ato de infidelidade com Biá.

Com pequenas garfadas silenciosas, comecei a comer lentamente aquele bolo e a mastigar seu acolhimento. Fui sendo levada, a contragosto, na direção contrária da rigidez com que tentava impor uma distância entre mim e Teresa. Uma leveza me invadiu a alma com mãos sedosas e perfumadas de laranja, tornando-me vulnerável a toda confissão. Aquele bolo sabia me amolecer.

— Seu bolo está acima de todos os outros que já experimentei e provavelmente dos que experimentarei! E não se trata de palavras gentis, inevitáveis frente à sua deliciosa falta de modéstia — brinquei. — É a pura verdade, ninguém faz um bolo como você. Não saberei mais viver sem ele. O que faremos? — provoquei, impressionada com o exagero de minha simpatia.

— Esse bolo tem mesmo poderes, Olívia. Também me fisgou! — confessou Teresa. — Quando eu tinha seis anos, ficava a maior parte do tempo aos cuidados de meu pai. Ele trabalhava como fotógrafo e tinha horários mais flexíveis do que minha mãe na universidade. Uma bagunça para os padrões da época. — Meu pai também era uma bagunça para os padrões da época, pensei comigo. — Era ele quem me arrumava, me alimentava, me punha entre as pernas e desembaraçava com mãos leves meus cabelos, e depois me levava para escola. Ele era divertido, andava comigo pelas ruas e de repente parava e me perguntava: "O que você fotografaria aqui?" Eu sempre tinha que dizer alguma coisa, senão ficávamos empacados e ele começava a assoviar como se não tivesse mais nada a fazer na vida. Até que eu elegia um alvo, e ele vibrava, valorizando minha escolha, fazendo com que eu visse o quanto podia mesmo ser interessante fazer aquela fotografia. Minhas primeiras noções estéticas me foram dadas por ele, sempre estimulando meu olhar para as formas e as cores, as transparências e as texturas. Uma vez, ele precisou viajar para fotografar uma fazenda, e minha mãe assumiu a rotina comigo. Eu me lembro de ter me sentido muito feliz quando soube que ele viajaria, porque vi a oportunidade de resolver um problema que andava me atazanando. Todos os meus colegas iam para a escola levados por suas mães, que, vira e mexe, se juntavam em grupinhos na porta, combinando coisas, contando casos, festejando os filhos umas das outras. Meu pai chegava, agarrava com sua mão imensa minha pequena mão, e passávamos reto, eu sempre sendo puxada com a cabeça virada para trás, tentando saber o que aquelas mães e seus filhos estavam combinando. Alguns colegas logo descobriram que podiam me infernizar com essa história. E não deu outra! Viviam me perguntando: "Por que você não tem mãe mesmo? Ela morreu?" Eu ficava visivelmente incomodada, o que os encorajava ainda mais, e a implicância rendia, até que eu apelava: "Por que você não tem pai mesmo? Ele morreu?", perguntava, quase chorando, na tentativa de revidar o golpe. Mas, cá para nós, não colava muito. No fundo do meu coração, a esquisita era mesmo eu, e, na ausência de meu pai, por causa da viagem, eu finalmente poderia exibir, como qualquer criança normal, a mãe que eu tinha. E minha mãe, Olívia, era do jeito que eu gostava, enchia meus olhos de contentamento, e eu tinha para mim que ela encantaria a todos, como me encantava. Se meu pai me deu as primeiras noções estéticas, foi ela quem me mostrou como misturar tudo aquilo de um jeito original. Ela se vestia de uma maneira muito particular, cheia de personalidade, reformando roupas antigas da minha avó, misturando tecidos clássicos com formas modernas. O cabelo e os sapatos sempre inesperados. Foi, sem dúvida, o fascínio por sua originalidade que me fez querer ser estilista. Naquela época, eu estava na idade em que as mães são o que mais importa. Naquele dia, na escola, passei a manhã na expectativa da hora da saída, e quando o portão se abriu corri para lá, anunciando com mil decibéis que minha mãe viria. Meus colegas começaram, um por um, a ir embora. Cada um que saía aumentava minha pressa. Mas ela não chegava. O pátio foi ficando vazio, até que sobraram a professora, a faxineira e eu. Tentaram ligar para minha mãe, mas não conseguiram falar com ela. A professora precisou ir embora, e eu fiquei com a faxineira, que por sua vez estava preocupada em limpar a escola e me deixou sentada num canto qualquer, sumindo lá para dentro com seus baldes. Não sei quanto tempo esperei sozinha, até que minha mãe chegou. Entrou correndo, esbaforida, culpada, se desculpando sem parar. Eu me desmanchei em lágrimas nos braços dela. Ela passou as mãos aflitas em meus cabelos, colocando-os atrás de minhas orelhas, liberando meus ouvidos para escutá-la, e confessou que perdera a hora porque estava agarrada a um livro: "Não vou mentir para você, filha, me desculpe. Agora que você também está aprendendo a ler, vai ver o poder que um livro tem de nos fazer perder a hora." Claro que eu quis matar aquele livro.

Quando chegamos em casa, ela se desdobrou em carinhos, determinada a se redimir. Disse que faria um bolo de laranja tão maravilhoso que eu jamais me esqueceria. Começou a explicar, carismática, cada passo. Queria que eu participasse, me dava tarefas simples, como quebrar os ovos e medir as colheres de farinha, num esforço sincero de me recompensar. Num dado momento, tive vontade de ir ao banheiro e, quando passei pela sala, vi sobre a mesa a bolsa de minha mãe e ao lado dela o livro. Li o título com dificuldade: *Cem anos de solidão*. Não tive dúvidas: era ele o culpado. Rasguei página por página. Rasguei... enquanto via impressionada uma grande quantidade de frases grifadas e anotações a caneta se desmancharem em longos rasgos. Nunca vou me esquecer disso, porque estranhei que minha mãe fizesse todos aqueles grifos, uma vez que na minha escola era falta grave escrever nos livros. Fiquei por ali fazendo um belo estrago, Olívia, até que minha mãe me chamou na cozinha.

Eu ouvia Teresa em silêncio, sem querer interromper, embora já conhecesse a história que ela contava.

— Fui de cara limpa e alma lavada para aquela cozinha, sem dar nenhuma pista do que fizera. Minha mãe estava mais amável do que nunca, a mesa posta, um cheiro maravilhoso no ar, e um sorriso tão disponível que despertou em mim um imediato arrependimento. Ela tirou o bolo do forno, desenformou em um prato de festa e pôs na mesa. "Já, já vamos comer, só um minutinho, filha", disse, saindo da cozinha. Eu gelei. Não demorou nem um minuto e seus berros começaram a me estremecer. Só uma outra vez na vida, quando ela enlouqueceu, eu a vi mais fora de si do que naquele dia. Ela gritava meu nome com uma voz desvairada. Entrou na cozinha com passos largos, os olhos esbugalhados de fúria, pegou o bolo tão bonito sobre a mesa e o jogou na lata de lixo ao lado do fogão. Depois se fechou no quarto, batendo a porta, e me largou pra lá. Penso que ela se trancou mais para me proteger do que para me punir. Eu chorei, pedindo que me deixasse entrar, mas ela sequer respondeu. Não me mandou tomar banho, nem escovar os dentes, nem ir para a cama. Nada. Naquela noite, Olívia, rezei para o meu pai voltar logo. Tinha pra mim que ele nunca, jamais, fecharia a porta daquele jeito. E, quando ele voltou, contei que minha mãe tinha jogado o bolo no lixo, como se essa fosse a pior parte. Meu pai, que já sabia de tudo, com seu jeito conciliador, teve o que chamou de a mais suculenta ideia do mundo: "Chegou a hora de você aprender a fazer o seu próprio bolo de laranja, e sua mãe sabe segredos que não podemos recusar, preste bastante atenção e não se preocupe, vou me sentar bem aqui, na lata de lixo, e o bolo estará a salvo!" Minha mãe, como eu, foi obrigada a participar daquela reconciliação, sem achar a menor graça nas piadinhas de meu pai. Mas ele não deu a mínima, se sentou na lata de lixo e manteve a alegria no ar de uma maneira carinhosamente insuportável. Só quando partimos aquele bolo quente e o devoramos com vontade foi que eu e minha mãe começamos a fazer as pazes. Desde então, não sei mais viver sem ele.

— Sua mãe já havia me contado essa história, Teresa, de um outro jeito — falei, num impulso impensado.

Mal terminei de falar, tive dúvidas se deveria ter provocado aquela conversa. Teresa ainda era uma incógnita, que tanto me atraía quanto inibia. Eu queria ouvi-la, como quem observa de longe uma cena sem se arriscar a ser envolvido, e, ao mesmo tempo, queria trazê-la para perto, incitar-lhe as confissões mais íntimas. Talvez Teresa explicasse Biá e revelasse o que não tivemos tempo de fazer emergir. Mas eu temia, com imensa avareza, que ela esperasse alguma coisa em troca, sentia o desconforto de já ter ouvido tanto sobre ela. Coisas inventadas, ou sonhadas, ou adoecidas. A mim pouco importava. Minha única certeza era do meu afeto por tudo o que ouvi de Biá.

— É mesmo, Olívia? Que outro jeito? — perguntou Teresa, enrugando a testa, duvidando que fosse possível uma outra maneira de contar aquela história.

— Não foi você quem ela esqueceu na escola, foi o Bento.

— Bento? — perguntou, sem atribuir nenhum significado ao que ouvia.

— O neto... o filho que ela arrumou para você... inventou, sonhou...

— Ah... é verdade... você me falou sobre esse meu filho na primeira vez que esteve aqui...

— Ela me disse que os netos são uma oportunidade de passar o passado a limpo... e só agora entendo melhor o que ela queria dizer.

— E o que ela queria dizer? — perguntou Teresa, com um leve desafio na voz.

— Que, talvez... se ela pudesse refazer o que fez aquele dia, teria adiado tudo e levado você para a praia.

— Foi isso que ela fez com Bento?

— Foi.

Um riso involuntário escapou de Teresa como um soluço desengonçado. Sua cabeça balançou devagar e repetidas vezes um convicto não.

— Ela não seria capaz! Dona Emma não seria capaz de superar um livro rasgado. Eu, definitivamente, não consigo imaginar.

— Pois ela conseguiu, Teresa. — Minha frase escapuliu de mau jeito, afoita, na intenção de defender Biá. Como se eu acusasse Teresa de alguma coisa, sem ter provas, baseada apenas em vagos relatos.

Ela se calou. Começou a tocar com a ponta da faca alguns farelos de bolo sobre a toalha, rolando-os de um lado para outro. Tive receio de que encerrasse nosso encontro por ali. Que se levantasse e me entregasse o envelope com meu nome e permanecesse de pé a meu lado, num explícito convite de me acompanhar até a porta. Reconheci angustiada que ainda queria muito daquele encontro.

— Tenho saudade de minha mãe, Olívia, de quando ainda era possível imaginá-la comigo. — Senti um alívio quando Teresa voltou a falar. — Vivo com essa saudade há mais tempo do que vivi sem ela. Não da mãe que você conheceu. Da mãe que eu tive antes de meu pai ir embora, a que me esquecia na escola, mas depois ia para a cozinha e fazia um bolo para mim. A que jogou o bolo no lixo, mas depois me ensinou a fazê-lo. A mãe que não parou tudo para me levar à praia, porque talvez eu merecesse mesmo algum castigo por ter rasgado seu livro. A mãe que também mereceu que eu o rasgasse por me esquecer. Nós nos desapontamos muitas vezes, muitas, mas não havia dúvidas sobre o amor. Essa é a saudade que eu tenho. Durante dezesseis anos fomos assim, mãe e filha. Quando meu pai foi embora as dúvidas vieram, enquanto minha mãe também se foi, do pior jeito: ficando. Viver ao lado de uma pessoa ferida, irremediavelmente distante, é como ter uma dor que não te deixam esquecer. No começo ela chorou. Alternou momentos histéricos e silêncios intermináveis. Ver minha mãe calada era dilacerante. Falar, falar sobre tudo, falar deliciosamente muito, sempre foi seu forte. Ela se afastou do trabalho, dos amigos, da família. E houve momentos em que se afastou dos livros, o que por si só indicava quase um estado terminal. Mas de todas as distâncias a mais densa foi entre nós duas. Foi como se ela me dissesse "não volte", como Rita fez com você, sem que eu tivesse ido, sem que eu pudesse me mudar de bairro, sem que ela pudesse parar de repetir um dia sequer, entre vozes e silêncios, com aqueles olhos imensos e intensos: "não volte".

"Não volte." Lá estava Rita no meio de nossa conversa. Como ela sabia se infiltrar em todos os lugares aonde eu ia. Não me importei em ver Teresa confirmar que havia lido o que escrevi. Não quis mais recuar. Ao contrário, ouvir aquele "não volte" em sua boca levemente trêmula nos aproximou. Se há algum tipo de proveito em nossas pequenas tragédias é o de nos repertoriar com um cardápio de empatias. Como bem disse Biá: "Enquanto isso acontecer podemos ter esperança." Pude imaginar o quanto doeu em Teresa a sua dor. Vi que não fugiria de nenhuma pergunta, caso eu as fizesse. E tantas latejavam em mim: "Por que seu pai foi embora?", "O que aconteceu?", "Não era ele na cabeceira de sua mãe durante o velório?", "O que houve entre vocês duas?". Mas eu estava grata pelo pouco que ela havia falado, talvez porque ao ouvi-la dizer "não volte" tenha dividido com ela o peso dessas palavras.

— Sinto muito, Teresa — foi tudo o que pude dizer.

E foi também o que bastou para que ela se rendesse, na minha frente, a toda a fragilidade que pesava sobre seus ombros. Teresa chorou. Talvez tenha chorado por todos os dias em que foi esquecida. Pela água quente que acabou naquela manhã enquanto ainda tinha xampu nos cabelos. Pelo bolo de laranja no lixo. Pelo carinho do pai que não combinava com as malas que ele fez. Pela estampa da nova coleção que ficou roxa em vez de rosa. Por a morte ser definitiva e nos aprisionar a um passado que não poderá ser modificado. E, mais ainda, chorou de saudade. A saudade que vi misturada naquele choro não era a saudade de alguém que se foi, mas a saudade de quem não soube ficar junto enquanto podia ter ficado, a saudade de não ter dúvidas sobre o amor.

— Nós três éramos muito bons juntos. — A voz saiu ainda embargada, foi preciso mais uma pausa. — Minha mãe tinha suas obsessões, se concentrava de maneira quase extravagante em seus interesses: seus livros, seus clientes, seus experimentos. E a vida prática escapava sem culpa entre seus dedos. Era como se estivesse prestes a compreender uma grande coisa, fundamental para toda a humanidade, a cura de todos os males, a fórmula dos milagres, alguma coisa, assim, estupenda, e não pudesse dispersar uma migalha de energia lavando louças, pendurando roupas, respondendo perguntas. Mas quando ela vinha ficar comigo e com meu pai, vinha exatamente da mesma maneira como ia para todas as coisas: inteira. Nós dois vivíamos na expectativa de nossos momentos com ela. Eram poucos, mas formidáveis. Conversávamos abertamente sobre minha mãe, nunca foi segredo para ela que discutíamos como lidar com seu desvario. Meu pai dizia: "Vamos aproveitar dona Emma hoje, porque hoje é o que teremos dela. Ela virá 'emmamente' vestida, penteada, perfumada, como se nós fôssemos uma festa. Se fará amada com tanta intensidade que estaremos saciados quando se for." E então ela vinha e nos alimentava com seu carisma, sua criatividade, com o fluxo de sua fala hipnotizante, com sua disposição sensível para investigar o nada. Contava coisas que nos faziam ficar sem piscar, outras que nos faziam rir à exaustão. Nessas horas queríamos que os olhos dela, imensos como o mundo que ela era capaz de sorver e imaginar, observassem tudo por nós, e que sua fala caudalosa nos dissesse o que estávamos vendo, o que deveríamos sentir. Quando estava presente, seu corpo também era incansável, como o de uma criança que não sabe quando está exausta, não sabe a hora de parar. Ela não nos dava sossego com seu desejo de engolir a vida.

Uma vez na praia, aonde fomos passar uma semana, meu pai proibiu terminantemente que ela levasse qualquer livro. Ela obedeceu, para nosso completo espanto, sem protestar. Quando chegamos lá, ela nos fez caminhar. Construir castelos. Passar horas no mar até que nossos dedos ficassem enrugados. Nos fez procurar estrelas cadentes e andar de lanterna nas mãos atrás dos siris. Brincou de mudar nossos nomes e simular que éramos uma família que vinha de um país distante e que falava um idioma complexo e desconhecido. Levou a personagem tão a sério na hora de pedir o jantar, diante de um garçom apavorado por não entender nada do que ela dizia, que meu pai precisou intervir, fingindo ser um intérprete. Depois que o garçom se foi, ele olhou para mim como se minha mãe não estivesse entre nós e disse, simulando desespero: "É melhor comprar um livro para ela. Estamos só no primeiro dia, isso está ficando fora de controle." E então começamos a rir, e os dias foram assim, mágicos, divertidos, como tudo era quando nós três estávamos juntos. Talvez fosse isto que minha mãe gostaria de viver com Bento na praia: o que éramos.

    Teresa fez uma pausa para nos servir mais uma xícara de café, que eu aceitei prontamente, com outro pedaço de bolo. Tudo que ela falara de Biá até aquele momento eu podia imaginar. Das expressões às obsessões. A alternância de presença e ausência. O magnetismo. Eu mesma fui atraída por sua fluência, seus assuntos, suas mãos hipnotizantes. Quantas vezes Biá também me fez rir, quantas vezes fiquei sem piscar, presa ao malabarismo de suas palavras e à profundidade de seus mergulhos. Cheguei a me esquecer de mim, do meu luto, de Rita, no alívio de sua presença. Senti uma vontade nostálgica de ter conhecido Biá quando havia mais juventude e menos passado em sua vida.

    — Faz muito tempo tudo isso — retomou Teresa. — Eu era nova demais, e, o que falo hoje, falo com os esquecimentos e distorções de minha voz adulta. Já pensei e pesei tantas vezes o que nos aconteceu em busca de coerência, Olívia, que temo tê-la inventado. Mas é assim mesmo, precisamos ajeitar de alguma maneira as bagunças que a vida vai fazendo. E se há um tanto de invenção, há também um tanto de verdade. Eu me lembro de meu pai aceitar amorosamente minha mãe como ela era. Não sei se a melhor palavra é "aceitar", porque divide um certo sentido com "tolerar". Longe disso. Ele a amava. E a amava justamente porque era ela. Eles se conheceram na universidade. Meu pai fez uma série de fotos de minha mãe lendo, sem que ela visse. Foram semanas a observando de longe, como um voyeur. Ele se apaixonou pela capacidade que ela tinha de ficar ausente. O mundo ao redor fazendo barulho, e ela intensamente em outro lugar. Exatamente o que ele não foi capaz de fazer. Meu pai arrastava sua dose de loucura. Muita rigidez consigo mesmo sob uma aparente leveza. Um exagero de leveza, pode-se dizer. E ninguém carrega uma alegria tão insistente sem levantar suspeitas. Algum peso se esconde debaixo de um bom humor inesgotável. No caso de meu pai, o peso tinha nome: Natan, seu irmão.

Meu avô, pai dele, foi um homem muito rico, tinha muito dinheiro e cinco filhos, todos homens. Uma concentração exagerada de masculinidade. Muita gente disposta a sair para caçar, matar um leão e dependurar sua pele sobre os ombros.

Minha avó também era uma mulher forte, dizem que mais forte do que todos eles juntos, embora fosse miúda: magra e baixa. Sua maior dádiva para os filhos não era de colo, era de coragem: "Se tem que fazer, faça. A dor que dói também é a que passa." Meu avô, sabiamente, decidiu dividir sua herança em vida para evitar colocar em risco a amizade entre os irmãos. Ele dizia que o dinheiro sabe fazer grandes estragos, ainda mais quando é muito. E era mesmo muito. Uma fortuna capaz de render uma vida tocando flauta a cada um deles. Mas havia uma condição inegociável: que estudassem, que se formassem em uma universidade.

Meu pai foi o quarto filho a nascer. Sempre foi muito tranquilo, se dava bem com todos os irmãos, mas tinha uma preferência, que nunca se deu o trabalho de despistar, por Natan, o irmão mais velho. Esse meu tio era um cavalo selvagem, no melhor sentido da expressão. Imagine um cavalo selvagem galopando em câmera lenta! Era assim que minha mãe o descrevia. Ágil, imponente e livre. Transpirava vitalidade e tinha uma exuberância alegre no corpo. Os músculos elegantes, bem-definidos, sustentavam não só um espírito determinado e destemido, como uma libido que enlouquecia as garotas. Meu pai admirava essa virilidade com fascínio, talvez porque fosse ele mesmo o oposto. Nunca foi do tipo corajoso, nem esportivo. Sempre mais quieto, observador, embora não fosse tímido. Era brincalhão e espirituoso, nada escapava de seu afiado senso de humor. Quando esses meninos foram virando homens, as brincadeiras entre eles começaram a ficar mais violentas. Meu pai geralmente não fazia parte das demonstrações de força física, e minha avó era incansável em mantê-los domesticados, mas, por uma dessas fatalidades, nem uma coisa nem outra foi suficiente.

Um dia meu pai estava às voltas com um time de futebol de botão, e tio Natan chegou agitado, querendo arrumar uma confusão qualquer justamente com ele, o irmão que o venerava. Não por alguma coisa mal resolvida entre eles, mas por puro exibicionismo de quem se sabe venerado. Enquanto as provocações eram verbais, meu pai tirava de letra, com seu humor afiado, expondo meu tio aos risos dos outros irmãos e encorpando nele a determinação de dar o troco, esticar ao máximo a corda, para descontar sua vaidade ferida. Estava todo mundo na sala. Minha avó chamou a atenção de tio Natan, mandou parar, mas ele estava selvagem em seu galope. Seguiu infernizando. Meteu as mãos nos jogadores de botão, isolou alguns, segurou outros, dando petelecos na cabeça de meu pai, enquanto ele tentava recuperá-los, forçando a todo custo uma reação mais agressiva. Num dado momento meu pai perdeu o controle e foi para cima de meu tio com uma raiva que ninguém suspeitava que ele fosse capaz de sentir. Tio Natan se esquivou de um lado para o outro, driblando de maneira humilhante meu pai e exibindo sua superioridade física. Os outros irmãos entraram na torcida, botando fogo, como se estivessem em uma rinha. Minha avó, a essa altura histérica, gritava, mandando parar. Mas tio Natan não deu ouvidos, não queria aliviar, e, num excesso de alta confiança, em uma de suas manobras, se desequilibrou e caiu, batendo a cara na quina de um móvel.

Na hora que ele caiu, o coro ovacionou! Meu pai, mesmo sem ter encostado em meu tio, tomou ares de vitorioso e, ainda cheio de adrenalina, praguejou: "Bem feito!" Suas palavras congelaram no ar até que se estilhaçaram com o urro de dor de tio Natan. Minha avó não sabia se acudia ou se dava uma surra no filho ensanguentado. Correu com ele para o hospital, pressentindo que o estrago seria grande. Foi o começo de uma longa via-sacra para salvar o olho dilacerado, mas nem com todos os recursos que tinham foi possível evitar o pior. Tio Natan perdeu o olho. Meu pai não demorou a desmoronar, sufocado por uma culpa sem tamanho, e meus avós logo entenderam que tinham não apenas um, mas dois filhos irremediavelmente feridos. Todos que estavam lá testemunharam que meu pai não teve culpa, mas nada amenizou seu sofrimento. Daquele dia em diante, olhar meu tio seria para sempre se arrepender. O resto da vida começava ali.

Tio Natan passou a carregar estampados na cara os motivos para se perder. Sabia muito bem que, se havia alguém responsável por aquela desgraça, era ele mesmo. E quando uma besteira idiota, uma infantilidade imbecil, se torna uma fatalidade, não há como negociar um perdão para si mesmo. Aquele homem-cavalo, cheio de vitalidade, encolheu-se em um sujeito aprisionado à sua deformação, envergonhado diante das mulheres, humilhado diante dos irmãos. E, como não conseguia se livrar nem da raiva, nem do fato de que a vida continuaria, começou a destruir o que podia ao seu redor. Passou a matar aula, a se meter em brigas, a beber, a se drogar, a inventar toda sorte de aniquilamento. Meus avós tentaram de tudo, médicos, remédios, novenas, viagens, até que, esgotados todos os esforços para recuperá-lo, veio o ultimato: "Ou você volta a estudar, termina a universidade e para com essa palhaçada de achar que a vida acabou, ou vai ficar sem um tostão e vai ter que dar duro, muito duro. E aí, meu filho, você vai ver que o pior pode piorar bastante", disse meu avô aos berros.

Minha avó, que ouvia a conversa calada, emendou serenamente, depois que meu avô saiu batendo as portas: "Se eu fosse você, Natan, botava o relógio para despertar cedo, porque a partir de amanhã já está valendo, e, se seu pai fraquejar, saiba que eu vou estar firme." Minha mãe adorava essa frase de minha avó, muitas vezes usou comigo essas mesmas palavras, quando queria deixar claro que não adiantaria apelar para o coração mole de meu pai: "Se seu pai fraquejar, saiba que eu vou estar firme, Teresa." E de uma certa forma ela cumpriu a promessa que fez, se manteve firme do meu lado até o fim...

Teresa se calou e respirou fundo, como quem se rende a uma certeza contra a qual lutou.

— Eu sei que, depois de tudo isso, meu pai tomou para si a responsabilidade de empurrar meu tio para a frente, de acordá-lo, de vigiar se ele ia mesmo para a aula, de pegar no pé dele com insistência para que desse conta da vida. Aguentou firme toda mágoa. Faria o que fosse preciso, lutaria os combates de tio Natan e aguentaria suas cotoveladas, mas não o deixaria desistir. E foi o que aconteceu. Meu tio acabou se formando, garantiu sua herança, mas já tinha perdido a graça, ficou sem lugar no mundo, nos encontros, na família, e foi se afastando aos poucos. Enquanto meu pai, ao contrário, se impôs o fardo de uma presença familiar incondicional, quase heroica, o bom sujeito que ajuda todo mundo, alegra o ambiente, anima a festa, está sempre disponível para tornar mais leve a vida dos outros... talvez na tentativa de compensar a família de todo mal que ele julgava ter feito.

— Desculpa, Teresa... — falei, interrompendo seu raciocínio.
— Nem sei se tenho direito de perguntar isso, mas seu pai não foi

embora? Como ele pode ter se imposto uma presença incondicional... se foi embora? Não faz sentido...

— Não fez sentido para ninguém, por isso mesmo foi brutal para todos. Foi como o "não volte" de Rita para você, desculpe dizer isso de novo. Foi um susto, um choque. Uma traição. Um rompimento de uma hora para outra, aparentemente sem explicação. Hoje eu sei que foi apenas aparentemente. Levei anos para entender isso. Em algum lugar, indizível para minha mãe, invisível para todos nós, estava acontecendo alguma coisa, e não nos demos conta disso, não vimos ele se afastar. Nos escapou e nos escapa toda hora o quanto alguém que amamos pode estar sozinho bem do nosso lado, tão sozinho a ponto de ir embora muito antes de partir, sem que a gente perceba. Naquela época... não passava pela minha cabeça... os pais, simplesmente, eram eternos.

— Quantos anos você tinha mesmo? — perguntei.

— Dezesseis.

Era mais ou menos a idade que eu tinha quando Rita rompeu comigo. Senti meu coração se enternecer.

— Mas minha mãe, Olívia, viu. Viu cada passo do meu pai. Viu e se calou.

Teresa, então, colocou os cotovelos sobre a mesa e as mãos cobrindo o rosto, e ficou um tempo esfregando as faces e os olhos. Depois apoiou a boca sobre as mãos postas como quem faz uma prece. Parecia avaliar aonde aquela conversa nos levaria, talvez decidindo se iria prosseguir. Talvez sentisse, como eu, que nos afastávamos cada vez mais da superfície, e entrávamos em águas profundas. Um demorado silêncio nos manteve ligadas. Minha cabeça a mil, minha vida de alguma maneira embolada com a dela.

— A última foto de meu pai comigo quem fez foi minha mãe. Eu sei de cor cada detalhe. Ele vestia uma blusa branca de malha, larga e mal-arrumada, estava descalço e descabelado. Eu vestia uma camisa dele, imensa, e estava sentada no chão agarrada em suas pernas... uma imagem que ironicamente sempre me lembra um quadro... de Lucian Freud, o pintor, surpreendido por uma admiradora nua — disse Teresa, alongando o pescoço para um lado e para outro, como quem tenta aliviar uma tensão persistente. — Na fotografia, meu pai tentava se desvencilhar de mim, se mover, mas eu o segurava com força, enquanto ele fingia que eu pesava toneladas.

Eu nunca deveria ter soltado aquelas pernas, elas não teriam se afastado tanto. Meu pai saiu de casa numa segunda-feira e não voltou mais. Ele me acordou, como sempre fazia, com um beijo carinhoso na testa, sentou na beirada de minha cama e se divertiu um pouco com o meu delírio matutino. Eu falava coisas sem nexo, porque nem tudo em mim acordava ao mesmo tempo. Eu demorava a funcionar.

Então ele me deixou na escola e, antes que eu descesse do carro, conferiu se meu rosto estava limpo. Quando não estava, sem cerimônia, molhava a ponta do dedo na própria saliva e esfregava em minha bochecha mal lavada. Nesse dia, ele limpou minha bochecha sem me olhar. Ele não me olhou, não sei bem se ele não me olhou mesmo ou se inventei isso. Mas ele já sabia que ia embora, foi um pouco covarde da parte dele, acho que ele não me olhou porque eu teria descoberto que ele estava tramando nos deixar. Eu teria me agarrado às pernas dele com mais força do que no dia da fotografia. Eu teria feito ele ficar, como ficou na fotografia.

No final do dia, quando encontrei minha mãe, ela estava deformada de tanto chorar. Embora eu tenha insistido, ela não me contou nada, ela simplesmente estava deformada e calada. Me preocupou mais ela estar calada do que deformada. Porque minha mãe sempre falou muito. Sempre falou quando estava sentindo forte alguma coisa, podia ser boa ou ruim, ela falava. Ela falava sobre todas as coisas. E meu pai ouvia. Meu pai era um bom ouvinte, ele prestava atenção em minha mãe. Ele não fingia que ouvia, ele ouvia. Ele adorava ver minha mãe falar. Eles sempre conversavam muito. E eu sempre quis encontrar um amor como o deles. Um amor falante. Mas naquele dia minha mãe não falou nada. Ela chorou sonoramente, como se fosse uma baleia sendo separada do filhote: aquele som cortante e demorado batendo no céu e no mar. O choro falou por ela, confessou seu desespero. Ela chorou e não quis nenhum carinho. Não quis que eu a consolasse, que eu a tocasse, não quis que eu passasse as mãos nas suas costas, não quis pôr a cabeça no meu colo, não quis abraços nem palavras de sabedoria, que eu estava pronta para dizer do alto de meus dezesseis anos. Tive vontade de pegar minha mãe nos braços, perguntei o que tinha acontecido repetidas vezes, mas ela não falou. Não tinha o que falar. Ela só poderia passear com palavras ao redor daquilo tudo, mas falar mesmo ela não poderia. Hoje eu sei, ela estava dilacerada. E as palavras para ela nunca foram um arranjo inconsequente. Ela não falaria apenas porque eu precisava ouvir. Ela sabia que ele tinha ido embora, ela viu cada passo. Mas para todos nós, que não vimos nada, não haveria uma explicação razoável, nem uma explicação insana, nem uma explicação infantil ou estúpida, ou mentirosa, a ser dada. "Pergunte a ele", foi o que ela disse aos irmãos de meu pai que vieram procurá-la, sem rispidez, embora soasse ríspido, porque "pergunte a ele" é uma frase que não se pode dizer gentilmente. Sermos abandonados sem uma explicação deu a todos nós tristeza suficiente para não aceitarmos o silêncio de minha mãe. Mas quem pode falar alguma coisa quando se perde tanto?

Naqueles dias procurei meu pai para contar que minha mãe estava calada e deformada, mas meu pai não atendeu o telefone, nem apareceu nos lugares aonde costumava ir. Eu não sabia que ele tinha nos deixado, que havia alguma coisa definitiva nos acontecendo. Liguei muitas vezes e achei irritante ele não atender. Só alguns dias depois minha mãe saiu daquele estado lamentável e decidiu olhar para mim e me ver. Foi então a minha vez de ficar deformada, porque ela não me poupou. Não tentou fazer doer menos. Não amaciou o impacto do que diria. Ela era assim: direta. "Esqueci você na escola porque não pude parar de ler um livro!" Será que ela não poderia ter dito que ficara presa em um engarrafamento? Não, não poderia, ela era mesmo capaz, tão somente capaz, de uma sinceridade desconcertante. "Seu pai foi embora e não vai voltar. Agora somos só nós duas." E, sem dizer mais nada, fechou a porta e engoliu a maldita chave! E eu quis rasgar meu pai como rasguei *Cem anos de solidão*, porque ele não me esqueceu por apenas duas horas, ele me esqueceu. E isso não fazia o menor sentido. Porque meu pai me amava, e limpou minha bochecha com sua saliva naquela manhã, e fez carinho no meu cabelo até eu dormir na noite anterior. E muito tempo depois me lembrei de que ele chorava enquanto me fazia esse último carinho, mas posso também ter inventado essas lágrimas. Posso ter posto as lágrimas em seu rosto porque queria acreditar que ele sofreu antes de nos deixar. Inventei todas as coisas boas de meu pai. Ele não devia estar assim tão triste, porque, se estivesse, não teria ido embora como um estranho. Um homem decente se despede. Mas ele apenas se foi, foi com as próprias pernas, foi decidido a não atender minhas ligações, foi mesmo tendo limpado minha bochecha com saliva. Ele se foi do pior jeito que alguém pode ir: ficando.

Teresa estava ofegante, ela dissera tudo aquilo quase num transe, como se eu não estivesse ali, como se tantas coisas já não tivessem acontecido depois, como se dissesse para si mesma, admitindo em voz alta tudo que estava represado e precisava ser posto para fora, como um peito cheio expulsa o que apodrece nele. E eu queria que ela continuasse sem freios, sem parar, sem respirar, incontida na veemência de suas palavras. O desentendimento dela com o próprio abandono era também o meu. O abandono é insuperável, ela também sabia, nem o tempo pode com ele.

— Você nunca mais o viu, Teresa? — perguntei, no exato momento em que me veio Rita do outro lado da rua me atirando seu coração com leveza.

Teresa se calou. Talvez minha pergunta tenha sido direta demais, talvez fosse a única pergunta que não poderia ser feita. Teresa ficou ausente por um tempo, de volta às migalhas de bolo sobre a mesa. Então olhou para o relógio que tinha no braço e se assustou com as horas. Pediu licença dizendo que precisava dar um telefonema e saiu da sala. O que eu estava fazendo ali? Como aquelas vidas se misturaram tanto com a minha vida? Meu abandono, o abandono de Teresa. Meu não saber por que, o não saber de Teresa. Os olhos de Laura, os olhos de Emma. O pai que nos fez falta. Nossos dezesseis anos e o resto da vida tendo no canto da alma a dor de um amor triste. Tanto tempo já se passara, e ainda nos arrastava o abandono como se tivéssemos os pés presos na cela ao cair. Pensei em pegar o envelope com meu nome e sair, levaria comigo também meu manuscrito e o jogaria na primeira lata de lixo que encontrasse. Poria um ponto final nesse drama, que por vezes me parecia uma invenção. Veio à minha mente as bonecas de Irene com a cicatriz no peito; aquilo, sim, era sofrer. Fiz um esforço para pensar em outra coisa, admirei as fotos na parede, peguei outra fatia de bolo já frio. Eu precisava aprender a fazer o bolo da reconciliação. Eu os faria aos montes e os distribuiria com intenções secretas. Há muitas pessoas que nem sabem que preciso me reconciliar com elas. Eu não deveria ter feito nenhuma pergunta a Teresa. É assim que começam minhas necessidades de fazer bolos. Muita gula em compreender.

Anotações de Biá

Sexo não é opcional para a humanidade. Tem a força das coisas que precisam acontecer. Foi preciso fazê-lo espetacular, nós dois sabemos o quanto ele é. E depois do sexo, seja como for, com ou sem amor ou moral, a vida continua, e aí está nossa miséria. Uma orgasmática miséria.

Somos animais, Teo.

Passamos perfume e achamos que não fedemos.

Sentamos em vasos de louça e tampa com duchas ao lado e civilizamos a merda. Mas somos animais. Se perdermos o controle dos esfíncteres, não haverá inteligência que nos salve. Só as fraldas, não sem antes nos humilhar. Nos humilha nossa matéria orgânica desenfreada, porque nos esfrega na cara que não controlamos tudo. Somos homens capazes de acabar com o mundo, mas animais incapazes de controlá-lo. A merda, Teo, tem claros propósitos didáticos: é o projeto somos-todos-iguais-diante-de-Deus. Já o sexo, somos nós diante de nós mesmos, todos-capazes-de-alguma-merda. É onde o pecado encontra fluidos em quantidades suficientes para se esbaldar. É a correnteza com a qual não se deve brincar. Você sabe que não sou religiosa, falo do ato de pecar como parte de nossa natureza propensa a tropeços, talvez metáfora dos momentos em que somos só animais, irracionais, puro sangue, animais sós. Mas animais nós somos, e nossa pitada de consciência não poderá cancelar essa condição. Nem a civilização ou os mandamentos. Nem nosso senso estético ou nossa sensibilidade poética. Ficamos ali naquelas posições deselegantes, nos lambendo, nos cheirando, nos sacudindo e fazendo sons de animais. Adoramos aquilo, não é, Teo? Como a gata faz com o gato, a cadela com o cachorro, a égua com o cavalo. Eu com você. E nos agride ouvir que fazemos como eles fazem. Por isso, nos chamam de cadela, nós, as mulheres, quando querem nos destruir. Alguém há de dizer, ofendido, que fazemos amor. Mas também fazemos sem amor, e, portanto, não está aí o que nos humaniza. Só nós acendemos um cigarro depois. E algum pensamento há de vir enquanto a fumaça enche o ar de bolinhas. Para nós, e para nenhum outro animal, existe o depois. Depois de nos lambuzarmos, quem sabe ao lavar a alma, quem sabe ao sujar as mãos, virão os pensamentos. E é com eles que seguiremos. Mesmo se tudo não passar de um sonho.

16º encontro

— Desculpe a demora, Olívia — disse Teresa, voltando para a sala e me arrancando de meus pensamentos. — Tem uma turma na confecção trabalhando, e eu precisava decidir algumas coisas. — Notei que ela estava levemente maquiada, tinha trocado de roupa e ajeitado o cabelo em um coque desses desorganizados no alto da cabeça. — São muitos detalhes nesta fase, já estou achando uma loucura não ter ido hoje.

Interpretei suas palavras como um sinal de que ela precisaria sair e de que nossa conversa tinha chegado ao fim. Mas ela propôs fazer um café novo, e fomos para a cozinha. Água no fogo, pó no coador e nós duas de pé ao lado do fogão.

— Você me perguntou se voltei a ver meu pai...

— Desculpe, Teresa, você não tem que me falar nada sobre isso, fui muito indiscreta. — Mas ela apenas acenou com a mão, me tranquilizando, e prosseguiu.

— Alguns anos depois que meu pai foi embora, talvez uns quatro anos mais ou menos, fui a uma dessas feiras de artesanato e encontrei uma antiga vizinha, que havia se mudado do prédio quando meu pai ainda vivia com a gente. Assim que ela me viu, fez festa, nos abraçamos, e ela foi logo dizendo: "Que coincidência te encontrar. Acabei de chegar da Serra do Cipó, passamos um fim de semana delicioso na pousada do seu pai." Você pode imaginar, Olívia, o que foi ouvir aquilo? Na-pousada-do-seu-pai! Minhas pernas bambearam, meu coração disparou, e custei a aparentar alguma normalidade. Ela desandou a falar com entusiasmo dos detalhes da pousada, da beleza do lugar e do quanto meu pai era amável e a comida boa e os dias inesquecíveis. Tive vergonha de não saber nada sobre meu pai diante dela, uma ex-vizinha, que tanto sabia. Ao mesmo tempo, fui tomada por uma aflição crescente de que ela se despedisse, fosse embora, e eu continuasse sem saber nada. Então, sem me explicar, quase num solavanco, perguntei se ela tinha o telefone da pousada, e ela, me olhando sem entender como eu não tinha o telefone do meu próprio pai, disse que sim. Abriu a bolsa, pegou uma pequena agenda e anotou em um pedaço de papel o número. Nos despedimos, e antes de se afastar ela apertou meu braço, condoída, e, com olhos murchos, teve pena de mim. Teve pena de mim. Mas tudo bem, eu tinha o telefone do meu pai nas mãos. Olhei para aquele papel mil vezes, mil vezes conferi se ele estava na minha bolsa. Eu e duas amigas que estavam comigo tínhamos combinado de ir comer depois que saíssemos da feira, mas me despedi e fui para casa. Meu coração batia de um jeito que eu podia sentir. Era pressa de chegar e contar para minha mãe. Era pressa de ligar.

  Reconheci aquela pressa. Eu a sentira quando andei nas ruas molhadas contornando as árvores caídas, indo ao encontro de Rita.

— Encontrei minha mãe na cozinha fazendo um chá. Era raro encontrá-la tomando alguma providência prática, como fazer um chá. Perguntou se eu queria, já pegando uma xícara e me servindo. Aquilo me pareceu mais raro ainda, normalmente evitávamos ficar no mesmo cômodo. E uma xícara de chá é sempre um convite. Desde que meu pai foi embora, ela se distanciou de tudo e principalmente de mim. Criou um deserto ao seu redor, e ninguém tinha permissão de se aproximar. No começo imaginei que seria uma fase, que iria passar. Na verdade, era o que me diziam, porque com dezesseis anos não temos ainda essa confiança no tempo. Não havia o que fazer. O exagero do choro alto e os silêncios dramáticos de fato passaram, mas veio o pior depois. Veio a ausência de movimento. A falta de perspectiva, como se houvesse um tumor duro, desses que não se movimentam, parado sobre ela. Eu me perguntava que diabos tinha acontecido entre eles. Outra mulher? Outro homem? Ofensas? Nada parecia justificá-los. Eu fazia essas mesmas perguntas repetidas vezes para ela, mas minha voz não atravessava o deserto ao seu redor. Nem sei se me ouvia. Lembro, vagamente, de ver minha mãe se esforçar, algumas vezes, para sair debaixo daquele peso, retomar a rotina da universidade e do consultório, mas eram esforços inúteis, ela não conseguia se livrar, e eu não fazia ideia exatamente do quê. A depressão é um abismo imperscrutável. Ela se afastou dos livros... até dos livros, Olívia! Estava sempre ausente, os olhos fundos e a cabeça distante. E às vezes fazia sons angustiados de madrugada. Tive medo de que alguma coisa se arrebentasse dentro dela, não por violência, mas por exaustão. Como uma mão que escorrega lenta e delicadamente de outra na beirada do abismo. Tinha medo de que ela surtasse. De que ideias ruins de desistir da vida se impusessem.

   Lembrei-me da tristeza de minha mãe e de como ela quase não aguentou quando meu pai morreu. Lembrei-me de como carreguei por muito tempo a certeza de que um pouco mais de tristeza poderia matá-la.

— Sofri esses tormentos todos, mas o mundo lá fora tinha seus encantos e grandes poderes de atração sobre uma menina de dezesseis anos. Os beijos na boca e as mãos bobas foram me salvando de ser tragada para o lugar onde minha mãe se deixara aprisionar. Nada como contar com o auxílio caloroso dos hormônios, Olívia! — brincou Teresa, amenizando a tristeza que se avolumava.

Concordei sorrindo, absolutamente convicta de que os hormônios também me salvaram. A água ferveu justamente quando falávamos deles. O café ficou pronto, e nos sentamos na cozinha mesmo, cada uma com sua caneca na mão, como velhas amigas.

— Durante todo o trajeto da feira até lá em casa, tendo na bolsa o telefone de meu pai, eu não sabia exatamente o que estava sentindo, ou o que deveria sentir. Nem o que deveria fazer. O que era certo? O que era errado? Apenas fui tomada pela possibilidade de revê-lo, de esclarecer as coisas. Eu tinha a merda daquele abandono entalado na garganta. Mas confiava de alguma maneira no amor que vivi com meu pai. Eu confiava que haveria uma explicação que minha mãe me negara. Talvez por vergonha, por culpa, por covardia. Sei que não havia maldade no silêncio dela, apenas fragilidade. E foi com esses pensamentos que tirei o papel da bolsa e entreguei a ela e disse com o entusiasmo de cinco anos de saudade na voz: "É o número do telefone do meu pai, vamos ligar?" Ela olhou para aquele papel, Olívia, e, sem me olhar, o rasgou em mil pedaços. Saiu da cozinha e me deixou sentindo ódio. E foi com esse ódio que saí de casa e, quando voltei, abri a porta do quarto dela sem bater e mostrei, a um palmo daqueles olhos imensos, tatuado no meu punho, o número do telefone do meu pai. O que veio depois foi um desfecho se armando como um temporal. Eu vendo aquelas nuvens negras estacionadas sobre nós, e a eletricidade juntando força. A loucura viria. Faltava uma gota. Minha mãe entrava e saía de casa sem dar uma palavra. Às vezes encontrava alguém comigo e me envergonhava com seu silêncio. Implicava com minha convivência com a família de meu pai. Implicava com minha alegria, como se não fosse aceitável seguir em frente. Havia uma tensão crescendo entre nós duas, e eu estava farta de me sentir fazendo alguma coisa errada. Ela não engoliu a tatuagem no meu punho, não engoliu que eu pudesse ter escolha. E eu não engolia o que ela me negava: compreender. Nos dias que se seguiram ela me olhou demoradas vezes, olhos vigilantes, inquisidores, querendo saber, medir, vasculhar, proibir. Olhos mudos, incapazes de perguntar a única coisa que a interessava: se eu iria ligar ou não, se eu havia ligado ou não. Eu não havia ligado. A reação dela me deixara insegura quanto a qual seria a reação de meu pai. E eu não suportaria mais nenhuma quantidade de desprezo. Mas uma coisa estava decidida dentro de mim: não era mais da conta de minha mãe o que eu faria, quando faria, se faria. Ela não queria o deserto? Então que o tivesse. Eu estava de saco cheio, desculpe a expressão, mas não há outra, eu estava de saco cheio de tudo aquilo. Tinha desistido, assim como ela desistira. Então aconteceu o que se desenhava. Numa das raras tardes em que eu não tinha aula na universidade, uma quinta-feira, precisamente, fiquei em casa sozinha, no meu quarto, estudando. O calor estava insuportável e, na tentativa de me livrar de um desânimo entorpecedor, resolvi tomar um banho. Pus a música alta, entrei debaixo do chuveiro, a água gelada, comecei a cantar, a dançar, como se fizesse uma pajelança para espantar aquela preguiça pegajosa... fui mandando embora minha prostração. Eu precisava estudar. Só quando terminei me dei conta de que havia esquecido de pegar uma toalha. Fui molhada na ponta dos pés até a rouparia buscá-la, como se na ponta dos pés eu molhasse menos o chão. Quando entrei no corredor que ficava entre os quartos, dei de cara com minha mãe. Eu vi, Olívia, subir do peito dela e explodir no rosto um tormento estrondoso. Ela se avermelhou e me olhou com olhos de louca, partiu para cima de mim aos tapas, me empurrando e berrando:

"Nunca mais faça isso!"

E eu perguntava:

"Isso o que, mãe?"

E ela, berrando insana, tremendo, me sacudindo:

"Nunca mais faça isso!"
"Para, mãe!", gritei.

Mas ela ignorou meus apelos, as mãos grosseiras em cima de mim, empurrando, me fazendo recuar para meu quarto, e os gritos ávidos por me ferir:

"Nunca mais ande assim na minha casa."
"O que você está falando, mãe? Para..."
"Nunca mais ande assim na minha casa, é o que eu estou falando. Nunca-mais-ande-assim. Nunca mais."

"Assim como?", perguntei, reagindo também, já aos berros. "Molhada? Pelada? Viva? O que é que te incomoda tanto? Sou eu? Eu continuar aqui enquanto meu pai foi embora? É isso, mãe?"

Então, ela me olhou confusa, parecia não saber direito onde estava, e eu comecei a chorar e disse a ela, ainda transtornada:

"Eu não tenho culpa de meu pai ter ido embora. A culpa não é minha!", gritei.

Então ela, tremendo, recuou, e sem gritar, como quem recobra o juízo, disse, exausta:

"Não, a culpa não é sua. Você não tem culpa..."

E se virou, saindo do quarto, mas eu ainda pude ouvir o que ela disse para si mesma:

"Mas tem corpo."

Fiquei com o eco daquelas palavras dentro de mim, "Você não tem culpa, mas tem corpo" trombando nas minhas paredes, abalando minha estrutura. Eu parecia aqueles prédios imensos implodindo lentamente, as células soltando do corpo e caindo no assoalho, se amontoando...

"Não volte. Não volte." Eu conhecia aquela sensação das palavras demolidoras, da repetição demolidora, da revelação demolidora. A sensação dos nervos como arame farpado. Eu ouvia Teresa falar de si como se falasse de mim. De repente, o telefone tocou, um som intruso vindo do além, invadindo nossa intimidade. Teresa precisou atender e, se esforçando para encontrar uma voz banal, saiu da cozinha falando sobre botões e fivelas.

Anotações de Biá

Teo, tente dizer, não para mim, para você, o que é que se podia fazer diante de tamanha provocação? Natan estava decidido a levá-lo até a ira, não menospreze o poder de uma pessoa em arrancar a violência de outra! Aos petelecos e solavancos, distribuídos com um molejo cheio de insultos, só não reage quem já morreu. Você não teve culpa, teve corpo. Apenas estava lá, e foi o que bastou. E é o que tantas vezes basta para nos enredarmos em uma história da qual nunca quisemos fazer parte. Todos os que viram já o absolveram, todos, inclusive Natan, mesmo que ele não possa esquecer, mesmo que ele não possa agir como quem esquece, já que convive amargamente com o que veio depois da própria estupidez. O que você disse na hora — "Bem feito" —, ao contrário do que o tortura, não teve o poder de fazer o mal acontecer. Não teve sequer o poder de carregar uma mínima verdade sobre seus sentimentos. O coração não é um lugar razoável quando está tomado. E nada do que eu possa dizer agora, ou em mil anos, vai mudar o que te aperta o peito todas as vezes que você olha no olho que Natan não tem mais. O pavor de ferir os que você ama vai estar com você para sempre. É o seu adoecimento. E o amor incondicional que você se impôs não passa de um desejo desamparado.

    Ah... Teo, essa história de amor incondicional... é de uma ingenuidade quase maligna. Porque o amor é de natureza viva e, como tudo o que é vivo, tem suas exigências. Não tenho ilusões: é preciso, sim, fazer alguma coisa para sermos amados. Assim como é preciso fazer alguma coisa para sermos odiados. Assim como não fazer nada é, de incerto modo, já estar fazendo alguma coisa. Diga você então, Teo, o que podíamos ter feito diante daquilo contra o qual não podíamos fazer nada? Há coisas tão maiores do que nós... será que sou uma pessoa ruim? Que espécie de mãe eu sou? As mães, meu Deus, as mães são as que mais estufam o peito e dizem amar incondicionalmente. As mães se enfileiram aflitas ao redor das penitenciárias em rebelião, temendo por seus filhos marmanjos assassinos, estupradores hediondos, as mães dão a vida por seus rebentos perdidos, grosseiros, egoístas, que as agridem, que acabam com suas noites de sono, que as ignoram, que as esquecem, em nome de um amor incondicional que não passa de culpa. Culpa é o nome do amor que fracassa.

    Quero outra palavra para tudo isso, Teo. Outra palavra para nomear a dor que se sente ao se amar fracassadamente demais. "Ador", é assim que vou chamá-la. Amor e ador, ambas com quatro letras, para que não haja dúvidas do quanto se alinham em óbvia simetria. Eu poderia dizer: "Sinto ador por você, filha", e confessar assim o meu fracasso, livrando-a de toda culpa. Ela apenas estava lá, e, ainda assim, eu já não posso dizer: sinto amor por você, filha. Porque depois de tudo... meu coração já não me obedece. Vou precisar de uma outra vida para consertar as coisas. Esta encarnação está perdida.

17º encontro

Teresa se desculpou ao voltar. Desta vez senti que a interrupção a incomodara tanto quanto a mim. Ela queria retomar de onde havia parado, como se estivesse pondo um antigo tumulto em ordem.

— Naquele dia, depois de toda explosão... minha mãe saiu de casa e só voltou à noite... Desculpe, Olívia, nem sei se você quer continuar...

— Quero muito, por favor, continue — respondi.

— Foi Rodolfo, o dono da banca aqui da esquina, quem a trouxe para casa, você o conhece... — "Sim", concordei com a cabeça. — Ele contou que ela chegou lá inquieta. Começou a falar coisas sem nexo, cada vez mais alto e aflita, palavras e palavras enfileiradas, misturadas a choro e riso. Abordava qualquer um que passasse, confusa, como se estivesse num surto, em uma crise nervosa, pouco importando o mundo do lado de fora, pouco importando se falava com conhecidos ou estranhos. Tenho para mim, Olívia, que, nesse dia, minha mãe lutou para não ser tragada de vez pela loucura. Rodolfo ficou impressionado com o desvario dela e me aconselhou a procurar um médico. Liguei para minha tia, psiquiatra, casada com um dos irmãos de meu pai, contei o que tinha acontecido, e na mesma hora ela veio aqui para casa. Medicou minha mãe sob estridentes protestos. Ela resistiu o quanto pôde, mal-educada, se contorceu agressiva, mas acabou cedendo quando eu disse que iria embora se ela não se tratasse. Ela me olhou, Olívia... e soube que eu não estava blefando, eu realmente iria. Tive pena, seus olhos se encheram de lágrimas, e ela me perguntou com doçura: "Você não tem mais vontade de pôr os pezinhos entre minhas coxas na hora de dormir?" Sempre adorei esquentar os pés entre as coxas de minha mãe quando era pequena, e ela sempre teve aflição porque sentia cócegas. Mesmo nos nossos melhores momentos não era fácil negociar pôr meus pezinhos ali. Eu soube naquele momento que era mais do que tristeza. Ela não estava mesmo bem. Aquilo me arrasou. E, mesmo assim, eu estava decidida: quando amanhecesse, iria para a Serra do Cipó. Tinha reservado um quarto na pousada de meu pai. Nada podia ser pior do que não saber.

Nada podia ser pior do que não saber. Concordei. Eu apostaria a vida nisso. Biá me dissera uma vez que "não saber nem sempre é o pior lugar". Eu discordava. Saber é sempre um ponto de partida. Não saber é ficar eternamente preso a um fim. Um fim que não acaba.

— Acordei cedo e fui sozinha, de carro, dirigindo — continuou Teresa, depois de acender um cigarro. — Na pousada me explicaram com detalhes como chegar. Não havia erro. Em casa, menti, dizendo que ia com amigos da universidade fazer um trabalho. Minha tia assumiu os cuidados com minha mãe. Combinamos que nos dias em que eu estivesse fora ela ficaria lá em casa acompanhando de perto a evolução daquela crise. Fiz uma viagem tranquila, a estrada quase sem movimento e os pensamentos mais acelerados do que o carro. Eu havia conhecido a Serra do Cipó dois anos antes, e, desde então, havia voltado duas vezes, sempre com a sensação de estar indo para um dos meus lugares preferidos no mundo. Não pude deixar de estremecer quando me dei conta do que poderia ter acontecido. E se eu tivesse encontrado meu pai ao levantar a cabeça de um mergulho em uma cachoeira? Eu e ele no mesmo poço nos movimentando para não afundar, com que palavras diríamos oi? Ou se em uma trilha estreita da mata eu precisasse parar para que ele passasse? E se eu cruzasse com ele ao acaso, como se cruza ao acaso com um estranho? Com que silêncio prosseguiríamos? Senti um calafrio percorrer meu corpo. Meu pai se tornara um estranho. Alguém que eu não conhecia mais, a quem era impossível prever os gestos. Talvez eu não estivesse pronta... mas nada podia ser pior do que não saber. Repeti à exaustão até a convicção encharcar novamente as palavras: nada podia ser pior do que não saber. Ignorei a paisagem, os relevos, as flores que estavam no caminho. Ignorei a luz que atravessava o ar limpo e transparente da serra e multiplicava suas belezas. Ignorei as belezas. Não havia nada fora de mim, só a imensa sensação do que estava por vir, quando parei o carro em frente à pousada de meu pai. Não havia placas, nem números na fachada, mas a descrição era precisa: uma casa branca, com um barrado azul contornando toda sua extensão. Precisei de um tempo para descer do carro, as portas fechadas, a música alta... Sei voar e tenho as fibras tensas... a cada minuto as fibras mais tensas e o voo mais improvável. Eu, despreparada, repetia como um mantra, já sem conferir sentido às palavras: nada pode ser pior do que não saber. Eu as repetia como quem reza, como quem pede: nada pode ser pior do que não saber. Saiu de dentro da casa uma mulher. Devia ter seus trinta anos e veio sorrindo na minha direção. A aflição de não poder mais desistir veio com ela. Desci do carro. Ela se aproximou acolhedora, me chamando pelo nome que inventei: Sara. Perguntou se eu tinha feito boa viagem, se poderia ajudar com as bagagens, e me convidou a entrar. A qualquer momento eu daria de cara com meu pai, esse era o pensamento impresso nos meus olhos, me cegando para tudo mais ao redor, soando como um zumbido estridente nos meus ouvidos, formigando minhas mãos, ressecando minha boca com os anos de ausência que não pude engolir, rasgando minhas narinas com o ar irrespirável do abandono. Era o pensamento que eu custava a carregar, um pensamento que dispensava as palavras e exigia todo o meu corpo. Segui Estela. O nome da moça era Estela. A cada passo a tensão me dominava mais, como se cada uma das minhas células soubesse que dentro de alguns segundos bateríamos de frente com uma carreta. Passei pela recepção, uma sala cujos detalhes não pude ver, e entramos em um corredor largo, com as paredes dos dois lados repletas de fotos emolduradas. Eram de meu pai, não havia dúvidas, eu estava na casa dele. Estela me levou para o último quarto à direita. Implorei que nenhuma outra porta se abrisse enquanto caminhávamos. Eu precisava de tempo, não sabia ainda qual seria minha primeira palavra. Talvez fosse um grito, talvez uma agressão física. Meu quarto era amplo, com janelas grandes abertas para uma paisagem arrebatadora que ignorei. Uma cama de casal com dossel, um véu descendo do teto com a promessa de uma noite sem insetos. As paredes caiadas de branco, uma cadeira de leitura com uma luminária ao lado. Simples, mas de muito bom gosto, e o bom gosto, Olívia, não me escapou. Pude ver sem esforço, porque nele via meu pai, e confirmava para mim mesma que, de alguma maneira, eu ainda o conhecia. Estela quis me mostrar a pousada, mas agradeci. Disse que precisava resolver algumas coisas e caí na cama, tentando decidir se me levantaria algum dia. Outros hóspedes sairiam para uma caminhada com Benito, um biólogo que, segundo Estela, trabalhava como guia e fazia uma caminhada até uma cachoeira que valia cada passo. Se eu quisesse ir, deveria estar na recepção em vinte minutos. Decidi que iria, com sorte ganharia o tempo de que precisava. Encontrei o grupo na recepção, dois casais e uma adolescente, e quando começamos a caminhar senti um imenso alívio trilha afora. Mesmo atormentada como eu estava, ter ido foi a melhor coisa que fiz. O grupo era silencioso e delicado. O caminho não demorou a impor sua força. O mundo é mesmo grande, Olívia, nada, nunca, será maior do que ele. Os volumes da serra, a quantidade de céu aberto, o movimento das nuvens, as bromélias e orquídeas que Benito mostrava com entusiasmo foram me apaziguando. Eu era muito jovem, tinha ainda a capacidade de me distrair. O sol estava forte, e quando chegamos à cachoeira entrei no poço com vontade, desejando lavar tudo. Flutuei na água leve de tão pura. Boiei de braços abertos, olhando para as imensas rochas por onde a cachoeira descia, contemplei a copa alta das árvores filtrando o sol, ouvindo minha respiração ampliada por debaixo da água. Experimentei uma paz surpreendente, como se de repente compreendesse que a mim bastava estar ali. Estar comigo mesma era o que bastaria, para não mais depender de nada, nem de ninguém, nem de como seria a reação de meu pai. Se ele confirmaria ou me livraria de meu abandono pareceu não mais importar diante de todo aquele céu azul que se deitava sobre mim. No fundo, não havia nada que eu não soubesse. O silêncio de minha mãe não me fez surda. Ali, flutuando, ao som do ar que entrava e saía de mim, eu soube que estava pronta.

O caminho de volta foi mais barulhento do que o de ida. O grupo se entrosou, e pequenos relatos sobre cada um começaram a ser feitos. Um era funcionário público; outro, músico. A adolescente talvez fizesse turismo ou quem sabe fisioterapia. Uns tinham medo de cobra; outros, coragem suficiente para pular das pedras altas das grandes cachoeiras. Alguém reclamou de fome; todos concordaram. Benito contou que tinha um casal de gêmeos e que ele mesmo fizera o parto dos filhos ali no Cipó. Todos vibraram. Só eu não disse nada. Ouvia de maneira superficial cada pequena confissão, concentrada em não perder o equilíbrio delicado que experimentara na água, e ainda assim uma leve insegurança começou a me rodear. Quando chegamos à pousada, já com o sol baixo, passei em uma espécie de copa para beber água antes de ir para o quarto. Estava louca por um banho. Foi quando ouvi chamarem meu nome: Teresa. Quando me virei, lá estava meu pai diante de mim.

Lá estava Rita do outro lado da rua, a poucos metros de dizer por que me mandou embora da sua vida. Lá estavam seus olhos pousando sobre os meus, e os nossos corpos impactados pelo reencontro. Lá estava o pouco tempo que tivemos e que nos escapou como um desejo que mal chega a ter esperança. Fui tomada por uma vontade incontrolável de abraçar Teresa e dizer que eu a estava ouvindo, como ninguém no mundo seria capaz de ouvi-la. E que aguardava ansiosa o desfecho. Mas ela revivia tudo com uma intensidade que não podia ser interrompida.

— Ele estava lá, Olívia, meu pai, diante de mim, e não havia contrariedade, nem surpresa, não havia culpa, nem ansiedade. A única coisa que vi derramando dos seus olhos, no traçado dos seus lábios finos, na contração de cada músculo do seu rosto, que pouco mudara naqueles anos de ausência, foi ternura. Uma ternura desarmada.

"Pai." Essa foi a primeira palavra.

"Filha." Foi a palavra que veio depois, a palavra que desarmou meus braços no abraço que ele me ofereceu, e nós dois adiamos, um pouco que fosse, tudo mais que precisava ser enfrentado.

Quando nos distanciamos, as perguntas vieram desajeitadas. Se eu estava sozinha. Como tinha vindo. Se estava acostumada a dirigir em estradas. Se já tinha estado antes no Cipó. Eu respondia a cada uma delas temendo que os assuntos possíveis se esgotassem; o silêncio entre nós me seria insustentável, assim como os assuntos banais também o eram. Então, contei do passeio que acabara de fazer com Benito, disse que precisava de um bom banho, e combinamos de nos encontrar no almoço, ou jantar, ou sei lá que nome damos à única refeição do dia feita ao pôr do sol. Logo que me afastei, depois de adiarmos por mais um tempo a conversa que precisávamos ter, custei a compreender como me fora possível toda aquela polidez. Como não perguntei de cara: que merda foi essa que você fez comigo e com minha mãe?

Teresa me olhou, certa de que eu poderia compreendê-la, e mais uma vez falou de Rita.

— Lembra o que você escreveu, Olívia, sobre o telefonema de Rita? Quando ela ligou depois de todos aqueles anos? — Concordei com a cabeça, insegura, sem saber exatamente a que se referia. — Você se perguntou como ela, Rita, ousava dizer qualquer coisa antes de se desculpar, antes de admitir: "Eu fui uma babaca, estúpida, filha da puta com você, me perdoa." Não parece óbvio? Antes do abraço que meu pai me deu, ou de qualquer comportamento civilizado, eu não merecia um sonoro e desesperado pedido de desculpas? Não foi isso que minha mãe fez quando me esqueceu na escola? Um pedido de desculpas atabalhoado, desconcertante, sem a polidez das falsas justificativas, mas um pedido de desculpas, antes de mais nada, assim que ela me viu? Isso parece tão simples. Tão justo. Foi o que confusamente senti quando fui para o meu quarto. Confusamente, porque, como em você, meu coração também pulava feito um rabo de cachorro, abanando sem vergonha sua alegria. Havia alívio em não ter havido rejeição. Vi uma ternura tão densa em meu pai, que poderia comê-la com uma colher. Tomei o banho mais demorado da minha vida e, enrolada em uma toalha, me encostei na cama. Exausta da caminhada, do sol, do reencontro, apaguei.

Acordei de madrugada, completamente faminta. Levantei e fui até a copa ver se arrumava alguma coisa para comer, tinha visto uma mesa posta com bolos e biscoitos. Meu pai estava lá. Me acolheu com delicadeza como se estivesse me esperando. Fez ovo mexido, pão de frigideira, preparou um leite, sabendo exatamente como eu gostava. Trocamos poucas palavras, e nossos movimentos foram lentos, como quem apalpa com os pés um território minado antes de dar o próximo passo. Quando terminei, ele me convidou para ver o sol nascer e disse que me levaria ao lugar mais lindo do Cipó. Fomos de carro até um certo ponto e depois caminhamos guiados por uma lanterna. Entre nós, ainda o silêncio, quase como um ruído. Chegamos. Nos sentamos em uma pedra macia de tão lisa. O mundo seguia escuro, indecifrável, apenas os grandes volumes sendo adivinhados, nenhum detalhe à vista, tudo ainda por ser dito.

"Quando me mudei para cá, passei meses vindo a esse lugar todos os dias ver o sol nascer. Nunca vi um amanhecer igual a outro. Os dias são mesmo um de cada vez, cada um com seus arranjos, com seu destino."

"Por que, pai?", perguntei, sentindo a voz tremer.

"Sentado aqui, nesta pedra", ele prosseguiu, sem me ouvir, "nunca fiz uma fotografia. Não há enquadramento possível que não diminua o que testemunharemos daqui a pouco. Diante do que veremos fui incapaz de escolher uma parte. Qualquer pedaço seria imensamente menos. E eu carregaria comigo mais falta do que contentamento."

"Por que, pai?", perguntei novamente, a voz para sempre trêmula.

Outros volumes menores começaram a se desenhar aos poucos, como um rascunho preparando a imagem final. Véspera do entendimento.

"As fotos são imprevisíveis, Teresa. Às vezes revelam mais do que pudemos ver e sentir. Às vezes, menos. Mas neste lugar eu sei que sempre será menos. Não se pode capturar o movimento que acorda o dia, as correntes de ar, as neblinas se desmanchando, os voos longínquos, do que não podemos precisar, cortando o ar. Esse arranjar as coisas para um novo começo é o que me enche os olhos aqui. Há esperança onde há movimento. Olhe, está vendo? Uma pequena brasa se acendeu, o sol está vindo."

A bola de fogo começou a subir firme e lenta, jogando uma película de luz sobre o imenso vale. As cores se assentaram delicadamente nas formas. Surgiu um mar de montanhas em ondas esverdeadas se misturando com pedaços de nuvens baixas flutuando... e o horizonte distante se aquarelou em tons de amarelo e rosa, aos poucos invadido por rajadas azuis...

"Por que, pai?", perguntei pela milésima vez nos últimos dias. Uma pergunta incapaz de romper meu silêncio. Só dentro de mim, minha voz tremia. Ele não me ouviria enquanto eu temesse saber.

"O que você fotografaria aqui, Teresa?", perguntou, como fazia quando me levava para a escola.

"Nós dois", respondi, sem dar a ele tempo de assoviar.

Ele, então, pegou minha mão, segurou entre as suas e disse, como se eu já o tivesse perdoado:

"Nós dois estamos em um lugar mais eterno do que nas fotografias."

Havia uma emoção sincera em sua voz, mas não sei descrever o quanto suas palavras me agrediram. Eu tinha 22 anos, Olívia, não sabia ainda dizer o que queria. Não sabia saber o que queria. Leva-se muito tempo para aprender a conversar, deixar que a outra pessoa, a que está na nossa frente, faça a parte dela e mastigue o que ouve, como dizia minha mãe, com seus próprios dentes. Leva-se mais tempo ainda para que a gente mesma tenha dentes, dentes capazes de ouvir. Não deveria ser preciso agredir para dizer o quanto se foi agredido, nem aumentar o volume da voz para aumentar a razão. Com as palavras o melhor seria não dar socos. Mas eu queria os socos e me incomodava toda aquela polidez, e aquela imensa volta para chegarmos onde deveríamos ir. Eu não queria mais aquele rabo de cachorro gentil no meu peito, nem a conversa doce do meu pai, cheia de palavras desautorizadas pelo que vivemos. Então, quando ele pegou em minha mão e disse aquele clichê piegas sobre nós dois estarmos em um lugar mais eterno do que nas fotografias, não pude me conter. Meu timbre perfurou áspero o silêncio que me envolvia, em dissonância com o nascer aveludado do sol, indiferente à estrela solitária que brilhava ingênua no céu:

"Por que você foi embora, covarde?!"

E eu sei que essas palavras foram ditas e ouvidas. Eu e ele estávamos um diante do outro, nossos olhos se enfrentando, e já havia dia suficiente para que nada mais pudesse ficar oculto.

"Teresa, nós não temos..."

"Não temos o que, pai? Não tivemos o quê? Não teremos o quê?", falei, interrompendo sua voz serena. "Apenas me diga por que você foi embora como um estranho, como quem não se importa, como um covarde?"

E sustentei um olhar tão magoado que ele se desviou de mim e fechou os olhos em silêncio, enquanto eu arrancava minhas mãos das dele.

"Você tem alguma ideia do que me fez? Do que fez à minha mãe? Por que, pai?", perguntei, lutando com uma vontade de chorar que me ameaçava. "Por quê?"
"Por causa dos sonhos, Teresa."
"Sonhos?", repeti, incrédula.
"Sonhos com você." Estava dito.

Todas as coisas podiam ser vistas, o sol reinava absoluto. Ao longe uma queda d'água, do alto ao chão em segundos. O que eu faria com aquilo, Olívia? Estava dito, e tive medo de que não houvesse mais nada a dizer. Durante o longo silêncio de meu pai que veio depois, arranquei uma folha de um arbusto ao lado da pedra, e nela fui enfiando as unhas, e bordando em sua superfície dezenas de meias-luas. O que mais eu podia fazer senão me distrair? Então, ele voltou a falar:

"Quando seu tio perdeu o olho... todas as pessoas que estavam lá, que viram como tudo aconteceu, me absolveram. Elas afirmavam veementes que eu não tinha tido culpa. Eu não tive culpa, Teresa. Não a culpa da intenção ou da negligência, nem a culpa da maldade..."
"Pai, pelo amor de Deus, por que você está falando sobre isso agora?"

"Escuta, filha, por favor. Eu não tive nenhuma espécie de culpa, mas tive corpo, como me disse sua mãe, com uma clareza dilacerante. Eu apenas estava lá, e foi o que bastou. Estar lá. Às vezes é preciso ir embora apenas para não estar lá, entende?"

Aquelas palavras eu conhecia. Não queria ouvir mais nada, eu não precisava ouvir mais nada, Olívia. Estava dito. Fui tomada por uma vontade de ir embora. Vi, como um flash estridente, o olho faltando na cara de meu tio, a culpa eterna no coração de meu pai, ouvi rasgadas e metálicas as palavras de minha mãe sobre as quais eu havia tentado me convencer de que eram palavras de uma louca... e tudo foi se misturando ao quadro de Lucian Freud, a moça nua agarrada às pernas do artista, que me lembrava de minha última foto com meu pai de um jeito perturbador. Quantas toneladas pesava meu corpo nu agarrado em suas pernas? E de repente, como se minha boca não fosse mais minha, ultrapassei a linha que não se deve cruzar, a que aprisiona determinadas coisas às palavras e as impedem para sempre de se mover:

"O que você arrancou de mim e de minha mãe foi muito mais do que um olho. Será, pai... será que foram mesmo só sonhos? Nada além de sonhos?"

Senti os olhos dele fugirem dos meus por uma fração de segundos. E nesse vácuo, nesse lugar estreito, eu o condenei para sempre. Aquela pergunta não seria mais esquecida. Vi se esboçar nele um desmoronamento, um gemido que a todo custo tentou conter, enquanto meu coração se enchia de imediato remorso. Quando ele voltou a falar, tinha envelhecido.

"Será, minha filha, que eu posso dizer que foram mesmo só sonhos, se quando eu acordava eles acordavam comigo? Escovavam

os dentes comigo, tomavam café da manhã comigo, entravam no meu carro e era preciso freá-los energicamente, para que a música, que tocava no rádio, não os libertasse como costuma fazer com os sonhos bons? E entre uma ligação e outra, enquanto eu falava de horários e honorários, eles apareciam dizendo oi com suas vozes sem escrúpulos e suas imagens que me repugnavam e que também me arrastavam? E antes de dormir, lá no fundo de minha alma apavorada, de minha consciência em alerta, eu desconfiava horrorizado de que havia esperado por aquele momento em que, mais uma vez, eu me entregaria a eles, no lugar onde me entregar era permitido? Será, minha filha, maior amor da minha vida, a quem eu jamais faria mal estando acordado, por quem eu morreria, será que ainda assim posso dizer que foi apenas sonho, tendo me dado conta de que esses sonhos produziam uma espécie de realidade em que passei a viver?"
"Ainda assim, pai, eram apenas sonhos. Você não me machucaria... não teria me feito o mal que acabou me fazendo se tivesse ficado."
"Não pude ter essa certeza, filha. Não pude."

A emoção se apoderou dele como de um homem humilhado. Mal pude ouvi-lo. Arranquei outra folha do arbusto ao lado da pedra e espalhei sobre ela luas ainda mais profundas, como dona Esmeralda havia feito nos braços de Violeta. Há um indescritível desespero quando enfiamos as unhas em alguma coisa. E ainda insisti:

"Você podia ter se tratado em vez de ter se dado o direito de fugir!"
"Eu e sua mãe tentamos muitas coisas, Teresa", disse meu pai, enxugando os olhos, num esforço para se reorganizar. "Acredite: muitas. Mas aquilo não parava. E eu já não podia mais olhar nem para ela, nem para você, nem para mim mesmo. Então concordamos que eu deveria ir embora. Na véspera, eu fraquejei

completamente, não queria ir. Como fraquejei no dia seguinte, na semana seguinte, no mês seguinte, no ano seguinte, como irei fraquejar todos os dias da minha vida. Nunca quis viver longe de vocês. Mas sua mãe se manteve firme. 'Vá', ela me disse, sem poder mais conviver com aquilo."

"Vá!", repeti, vendo minha mãe dizer "vá" com a cabeça erguida. "Se seu pai fraquejar, saiba que eu vou estar firme — firme na loucura, firme e aos pedaços, mas firme! E foi o que aconteceu, e eu bem sei o quanto nos custou."

Não me lembro direito como conseguimos sair daquela pedra. Apenas vi que deixei sobre ela as folhas machucadas. O que se pode dizer quando se perde tanto? Lá estava eu, novamente, diante da mesma pergunta. Pensei, num impulso de saudade, em pegar com minha mão, já não tão pequena, a mão imensa de meu pai, e andar por aquele caminho de volta como se tivéssemos amanhecido também. Não fui capaz. Ao lado dele, seguimos solitários. Eu iria embora naquele mesmo dia, mas decidi ficar. Não podia me desfazer de tudo aquilo aos solavancos. Avisei minha tia, e ela pareceu saber o que eu tinha ido fazer. Disse que eu ficasse tranquila, estava tudo bem, não havia pressa. Nos três dias seguintes, eu e meu pai nos esforçamos. Cada gesto carregava com ele seu julgamento. Tínhamos perdido a coisa mais preciosa sem a qual não se pode viver junto: a espontaneidade. Ainda assim, meu pai compartilhou comigo um pouco de sua vida na serra. Tivemos momentos suaves, breves esquecimentos promovidos por seu bom humor, embora alguma tristeza estivesse sempre por perto. Fiquei impressionada com o quanto ele sabia de mim, o quanto acompanhou o que me acontecera desde que foi embora. "Tenho meus informantes", confidenciou. Senti que minha história de abandono poderia, de alguma maneira, ser reescrita com tintas menos sombrias. Quando a hora de ir embora chegou, fui com o coração apertado. Nunca mais tocamos no assunto, nunca mais nos encontramos sem que tudo aquilo estivesse entre nós.

Teresa, então, se levantou, recolheu nossas xícaras e levou para a pia. Parecia ter terminado.

— Você contou para sua mãe que esteve com ele? — perguntei.

— Não. A ideia era contar, mas não contei. Quando voltei da Serra do Cipó e abri a porta de casa, minha mãe estava na sala com um livro nas mãos. Ela não lia há anos. Sua expressão tinha mudado. Eu e minha tia conversamos e achamos melhor esperar um pouco. Ela estava sendo medicada, precisava de um tempo para se estabilizar. Algumas semanas depois tentei entrar no assunto, mas a simples menção a meu pai desencadeava nela uma grande aflição. Talvez ela tivesse razão quando dizia que "não saber nem sempre é o pior lugar". O tempo foi passando, e ela retomou uma certa rotina. Ler, escrever, encontrar alguns amigos, acompanhar o noticiário, sempre com um equilíbrio delicado e sem nunca, jamais, falar sobre meu pai. Alguns anos depois, ele acabou se envolvendo com outra pessoa. Eu sabia que mais cedo ou mais tarde aconteceria. Achei que não havia mais nenhum sentido em contar para minha mãe que eu e ele mantínhamos uma relação e que de tempos em tempos nos encontrávamos. Não saber, definitivamente, não era o pior lugar. Não é uma ironia que logo eu diga uma coisa dessas? A tal boca banguela gosta mesmo de uma gargalhada! — brincou Teresa.

— Como gosta! — completei.

— Nos últimos anos, penso que pela idade todo esse passado voltou à tona com intensidade na cabeça de minha mãe — continuou Teresa. — Ela passou a viver cada dia como se fosse o dia seguinte à partida de meu pai. E isso foi se agravando. Ela defendia com agressividade seu direito a um silêncio que eu não mais combatia. Se pudesse, eu cortaria os pulsos para apagar minha tatuagem. Acho que ela entrou em um processo de demência, e nossa convivência se tornou uma luta. Não me faltava amor, Olívia, mas paciência eu comecei a não ter de onde tirar. Eu acabara de me separar quando voltei a viver com ela justamente nessa época, quando ela começou a perder a lucidez. Saí de um casamento difícil, talvez porque eu mesma tenha me tornado uma pessoa constantemente prestes a ser abandonada. Minha necessidade de afeto era um buraco sem fundo. Não estava fácil lidar com minhas perdas, nem com as dela, e muito menos com as nossas. E aí... quando a perspectiva era de que as coisas só piorassem... veio você.

Teresa se emocionou e me levou com ela, nós duas choramos alguns baldes naquela cozinha.

— Você, Olívia, fez muito bem para minha mãe. Fez muito bem para mim e principalmente fez muito bem para a Diná!

Era o que faltava para que pudéssemos rir também. Ficamos ali por mais um tempo, misturando todas aquelas emoções, desconfiadas de que talvez estivéssemos começando uma nova história.

18º encontro

    Ainda era sábado. Pus o envelope de Biá sobre a mesa. Eu o abriria no dia seguinte, domingo, o dia oficial dos nossos encontros. Pretendia ir cedo à banca de Rodolfo, pedir um café com pão de queijo e ver o que Biá ainda tinha a dizer. Achei engraçado me lembrar da única pergunta que Teresa fez antes que eu deixasse sua casa: "Afinal de contas, Olívia, que roupa você usou quando foi se encontrar com Rita?" Não consegui me lembrar na hora, para nossa absoluta perplexidade. Não teria sossego até me lembrar, prometi. Acabei não indo à casa de minha mãe como de costume. Eu estava querendo mesmo um sofá, e um filme bem alienante. Só o desimportante, como diria Biá, me ofereceria um pouco de silêncio.

    Quando o domingo amanheceu, pulei da cama cedo. Eu e meu precioso envelope fomos para a rua, e nos acomodamos na mesa de sempre. Fui logo avisando a Rodolfo que aquela mesa, dali em diante, seria minha. Era uma herança da qual não abriria mão. Conversamos um pouco sobre dona Emma e a falta que ela nos faria. Por um momento, tive a sensação de que ela viraria a esquina com seu passo curto arrastando sua inseparável curiosidade. Abri o envelope e me deparei com várias anotações, feitas à mão. Comecei a ler, e, de repente, Biá estava ali comigo, em plena forma, matando minha saudade, falando mais do que nunca. "Oi e ponto. Oi e mais nada. Oi e daí?" A maneira como ela se aproximou, em nosso primeiro encontro, decidida a se sentar onde eu estava. O desejo de se chamar Celeste e estar vestindo um casaco azul para que eu não pudesse mais me desviar dela. Os olhos ávidos por literatura, que, ao me verem pela primeira vez, enxergaram longínquas alegrias misturadas a uma imensa tristeza enquanto eu chorava e escrevia, escrevia e chorava. "Fossem só dor nossas lembranças, nos desapegaríamos." Mas não eram! Biá avistou minhas pequenas ilhas ensolaradas e, ainda sem me conhecer, reconheceu que alguma coisa, apesar de tudo, se salvara. Talvez tenha visto passar fugidio pelo meu rosto o riso incontrolável que desceu perna abaixo de Rita na hora do terço, as lágrimas de Isaura, o par de seios que se desmanchou no mar, as coreografias que espelhei tantas vezes e que tantas vezes fizeram com que eu me sentisse única. Todo um mar de motivos para não esquecer. Toda uma parede de azulejos pintados à mão — IMPERDÍVEL — em letras maiúsculas. Em suas anotações, fui um oásis, uma pausa para a saudade de Teo doendo nos ossos, dobrando os joelhos de Biá, fazendo com que ela implorasse a Deus o fim dos sonhos, que só agora eu podia compreender. O mapa preciso, breve tratado das histórias tristes: há de ter perda. Injustiça. Remorso. E há de ter amor, porque me lembro bem do que ela me disse: "O que realmente nos fere sempre envolve o que amamos." O amor em óbvia simetria com ador, palavra forjada no desespero de amar fracassadamente demais. E, no meio de tudo, a lucidez dando um baile na loucura, na constatação mais dura de todas: "Esta encarnação está perdida." Nada doeu tanto em mim. O que mais aquelas anotações podiam dizer? "Irão abrir minhas gavetas e decidir o que jogar fora..." Será que eu tinha o direito de abrir aquelas gavetas? Será que aquele envelope era para mim? Meu nome, escrito com traços firmes, significaria mesmo um destino desejado, um direito de herdar toda aquela intimidade, ou era apenas a expressão de minha presença enquanto ela estava viva? Pude sentir seu coração angustiado com a vida seguindo sem ela. Pude ouvir sua voz defendendo seu silêncio: "Isso é tudo o que posso dizer, sendo, portanto, o que direi. Tenho em mim mais este silêncio a ser defendido... é prudente que eu anote: acredito no silêncio, não no esquecimento." Comecei a me sentir invasiva... a paciente que vasculha imprudente, na calada da noite, as fichas de seu médico, e, ainda assim, não pude parar de ler. "Minha querida Olívia... será que você não vê que não fez nada?", "A dor de Rita era a dor de Rita", "Essa moça tinha certeza incondicional de que você escolheria sempre estar ao lado dela, não suportou duvidar". Duvidar de que, Biá? O que foi que eu não vi mesmo estando lá? "Pense." Fale! E de repente eu estava rindo por travar com ela mais uma luta sem respostas, uma luta inglória, que perdi todas as vezes enquanto ela vivia... E agora... ela nem sequer me ouvia.

Ali fiquei, impactada. Perdi a noção do tempo com a intensidade daquelas anotações. Li, ri, reli comovida. Sei que eu e ela fomos tomadas pelo extraordinário. Quando fui retornar as folhas para o envelope, alguma coisa me atrapalhou de acomodá-las. Dentro do envelope, havia um papel dobrado, várias vezes, em que estava escrito em letras miúdas, quase como um sussurro:

COM-PENETRADOS
ELES ESTAVAM TÃO

Aquilo não fez nenhum sentido... mas, ao mesmo tempo, não pude deixar de pensar no que acabara de ler: "É prudente que eu anote: acredito no silêncio, não no esquecimento." A ideia de que justamente aquele papel protegia do esquecimento o que Biá queria calar tomou conta de mim. Durante o resto do dia essas palavras trêmulas me perseguiram. Fui dormir com a sensação de alguma coisa presa na ponta da língua. Do outro lado da noite, a segunda-feira esperava por mim inabalável. Adormeci exausta. Cheguei cedo ao trabalho, e, quando estava no meio de uma entrevista sobre a situação da Lagoa da Pampulha e suas águas interditadas, onde não se podia mergulhar, águas proibidas... impuras... veio inteira, com a força de uma membrana rompida, a cena de Eduardo e minha mãe na porta da nossa casa, um dia antes de Rita acabar comigo. A boca banguela da vida estava prestes a soltar mais uma gargalhada. Mal pude esperar pelo fim do dia. Quando cheguei em casa busquei minha história, a que escrevera para Biá, e lá estava o peixe que ela havia fisgado:

"Quando saí da casa de Rita, vi o pai dela e minha mãe na porta de minha casa. Estavam tão compenetrados... quando por costume me virei para encostar o portão, pensei ver o vulto de Rita já desaparecendo nos fundos da casa."

Parecia tão óbvio, como sempre é óbvio o que não queremos ver. Na mesma hora fui para a casa de minha mãe. Ignorei cada degrau daquela escada e a falta de ar que me provocaram. Ela estava no quarto, arrumando uma gaveta. Sem dizer oi ou como vai, sem sequer chamá-la de mãe, perguntei:

— Você teve um caso com o Eduardo, pai de Rita?

Pensei que minha mãe faria como Biá tinha feito alguns dias antes, recusaria a falta de formalidade, exigiria pelo menos um "boa noite". Mas ela disse serenamente "Não." Como se estivesse esperando por essa pergunta há anos.

— Não? Tem certeza? — insisti, deselegante.

— Tenho certeza de que não tivemos um caso, Olívia.

— Nossa mudança não teve nada a ver com isso?

— Teve. Nós nos mudamos para que eu e Eduardo não tivéssemos um caso. Se você quer conversar, é melhor se sentar.

Foi o que eu fiz, impaciente, enquanto ela encaixava lentamente a gaveta no móvel antes de vir se sentar comigo.

— Não sei exatamente quando as coisas começaram a acontecer... — disse ela, prendendo os cabelos no alto da cabeça —, mas estavam acontecendo... nós dois sabíamos. Nós dois sentíamos. Até que um dia o Eduardo me procurou...

— Vamos ver se eu adivinho — interrompi. — O Eduardo te procurou, provavelmente abalado... quem sabe apaixonado, disposto a largar tudo por você! Que novidade, não é mesmo, mãe? Você nunca vai se perguntar por que isso acontece tantas vezes na sua vida?

— Não, filha, não. Passei toda a minha vida lidando com essas insinuações... acusações maldosas, veladas ou escancaradas, vindas de pessoas estranhas, mas de você não, filha! Não vou aceitar essa responsabilidade. Não provoquei os assédios de que fui vítima — disse calmamente. — E com o Eduardo... nós nos apaixonamos. Ele e eu.

— E aí? — perguntei, irônica, sustentando a agressividade.

— E aí eu e você nos mudamos.

Fechei os olhos, apoiei a cabeça nas mãos e não sei quanto tempo fiquei assim. Minha mãe do meu lado, imóvel, talvez também tivesse os olhos fechados. Não quis olhar. Como aquela elegância me exasperava. Dizia o que tinha de dizer e ponto. Não se debatia tentando controlar meus ouvidos. Eu que tivesse meus dentes! Ela não mastigaria nada para mim, não se empenharia em fazer com que eu acreditasse, parecia indiferente ao meu convencimento. Nem uma aflição comum aos que tentam salvar a própria pele. Nem um tremor na voz. Nem um tropeço nas palavras, nada. Sustentava a serenidade de quem não se deixa ofender, de quem não deve explicação alguma. A serenidade da consciência limpa. Mas eu achava que ela me devia uma explicação, eu achava que ela era culpada. Era isso! Rita pensou que eu soubesse...

— Rita rompeu comigo por anos, mãe!

— Eu não sabia, Olívia. Soube quando Luciana esteve aqui. Eu sinto muito por não ter percebido, e sinto também por você não ter me contado.

— Contado? — perguntei, atônita. — Você não tinha o menor interesse no que estava acontecendo comigo... e agora está bem claro por quê! Você estava com a cabeça no marido da sua amiga, mãe, no pai da minha melhor amiga. Eu era da família! — falei, quase gritando. — Você quer que eu acredite que vocês não tiveram nada?

— Nada.

Ela me olhou tão intensamente, tão transparente, que tive vergonha da minha insistência. Soube que ela dizia a verdade. Minha mãe disse aquele "nada" de cabeça erguida e logo depois fechou os olhos e respirou profundo, e eu vi que não havia indiferença, mas um enorme esforço para proteger sua dignidade. Só então me dei conta de que não fui a única a sofrer.

— O que aconteceu então, mãe? — perguntei, com um fio de voz que mal podia ser ouvido.

— Ah, minha filha... — Os olhos se encheram de água. — Eu achava que tinha enterrado meu coração com seu pai. Que havia uma morte irreversível dentro de mim. E de repente alguma coisa... eu e Eduardo... nós começamos a conviver, quando fui trabalhar com ele, e... foi mais do que me apaixonar, foi voltar a existir. Voltou a vontade de me levantar da cama, vestir uma roupa, pentear o cabelo. A vontade de me alimentar, beber água, estar com você.

Coisas banais, que me custavam esforços imensos, voltaram a ser leves. Pode parecer contraditório, mas sou grata a esse amor. Só que o amor... o amor quer sempre mais, quer sempre muito, e quem aceita migalhas... está doente ou adoecerá.

— Mas se vocês dois queriam tanto, por que não foram em frente, por que desistiram?

— Porque o amor que nós tínhamos um pelo outro não era o único amor que nós tínhamos. Tínhamos Luciana. Tínhamos você e Rita. Tínhamos o amor entre vocês. Por mais que nós dois quiséssemos, não seria bom. É ilusão achar que o amor suporta qualquer quantidade de caos.

— Mas tudo isso se perdeu do mesmo jeito, mãe...

— Não, não sinto que tudo se perdeu, Olívia. Quando Luciana esteve aqui, quando abri a porta e vi que carregava aquele buquê de rosas, que certamente levara horas fazendo, e pude abrir os braços, sem peso, para receber o abraço que ela me ofereceu, tive certeza, minha filha, da escolha que fiz. Quando Rita ligou, logo depois da visita de Luciana, talvez você tenha sentido o mesmo que eu, a alegria de ter a cabeça erguida diante dos que amamos. Vê-los se movimentando para desfazer um mal-entendido que nos foi injusto. Pode parecer pouco, mas não é. Não é pouco, filha.

Minha mãe se calou, só a respiração denunciando a força do que estava sentindo. Como ela era bonita! Parecia mesmo uma atriz de cinema, uma elegante plataforma vazia vendo o trem se afastar. Sua serenidade tinha um verniz de tristeza em que não se misturavam nem raiva, nem culpa. Apenas a tristeza de quem soube não estar lá.

Naquele dia acabei dormindo em sua casa, e conversamos madrugada adentro. Prometi ir visitar Luciana. Senti que estava em falta, eles mereciam a consideração de ouvir de mim o que havia acontecido. Eu contaria sobre nossa última dança e de como a luz daquela tarde, depois da chuva, dava a cada gesto de Rita a poesia das coisas eternas. Como bem disse Biá: "Só a versão dos vivos permanece." Antes de pegar no sono me lembrei do vestido que estava usando quando fui me encontrar com Rita. Decidi que iria com ele ao desfile de Teresa. Ela reservara um lugar para mim na primeira fila, e eu estaria lá com minha melhor alma.

Belo Horizonte, 21 de setembro de 2018

Citações de Biá

Em uma de suas anotações, Biá diz: "Algumas coisas que li não se contentaram com minha memória, caíram no meu sistema digestivo, e eu as incorporei como a um bom bife. A ponto de não saber mais se são minhas as palavras que digo ou se eu deveria viver entre aspas."

Para que essas citações, ora literais, ora livres, fossem de fato incorporadas à fala da personagem, optei por não sinalizá-las ao longo da narrativa. Faço, aqui, as devidas menções. Vamos aos bifes!

Pág. 15
Biá: "Desculpe meu desesperar, Olívia. Somos tão recentes uma para outra... A alma não se rende ao desespero sem haver esgotado todas as ilusões."
Victor Hugo, *Os miseráveis*: "Quem já não sentiu essas alegrias absurdas nos momentos mais horríveis? A alma não se entrega ao desespero senão depois de esgotadas todas as ilusões."

Pág. 16
Biá: "Já não bastasse sermos um pedaço infernal de nós mesmos, agora temos de abarcar, impotentes, as dores de todo um mundo."

Clarice Lispector, *A paixão segundo G.H.*: "[...] sou cada pedaço infernal de mim [...]"

Pág. 16-17
Biá: "Precisamos considerar esta possibilidade que tanto nos assusta. a morte pode mesmo ser o fim. E eu já não luto para introduzir no tempo de cada dia eternidades."
Guimarães Rosa: "O único dever é lutar ferozmente para introduzir, no tempo de cada dia, o máximo de eternidade."

Pág. 17
Biá: "Um homem com uma dor é muito mais elegante..."
Paulo Leminski, "Dor elegante" (musicado por Itamar Assumpção):
"Um homem com uma dor
é muito mais elegante"

Pág. 18
Biá: "Caso contrário... o que diz a poesia? Seria o deserto absoluto. O oceano absoluto."
Vinicius de Moraes, "O poeta Hart Crane suicida-se no mar":
"Que te disse a Poesia? [...]
O deserto absoluto
O oceano absoluto
Imenso, sozinho, aberto?"

Pág. 25
Biá: "Como no poema 'Vietnã', em que uma mulher, de tanto sofrer, se esqueceu de tudo. Não sabe nem de que lado da guerra está, mas não se esqueceu de que é a mãe de sua filha."
Wisława Szymborska, "Vietnã":
"Não sabe que não vamos te fazer nenhum mal? — Não sei.
De que lado você está? — Não sei.
É a guerra, você tem que escolher. — Não sei.
Tua aldeia ainda existe? — Não sei.
Esses são teus filhos? — São "

Pág. 27

Biá: "Eu era sua eterna Duília, a menina moça recatada, que mal namorava de longe o rapazinho tímido e que, em uma procissão de virgens castas sob o céu estrelado, ao vê-lo com o olhar fixo em seu colo, abre a blusa e diz a ele:

— Quer ver?

Ele quase morre de êxtase. Pálidos ambos, ela ainda repete:

— Quer ver mais? — E mostra-lhe o outro seio branco, branco... E depois... fecha calmamente a blusa. E prossegue cantando..."

Aníbal Machado, "Viagem aos seios de Duília": "Ela era moça recatada, ele um rapazinho tímido; apenas se namoravam de longe. Mal se conheciam. A procissão subia a ladeira, o canto místico perdia-se no céu de estrelas. De repente, o séquito parou para que as virgens avançassem, e na penumbra de uma árvore, ela dá com o olhar dele fixo em seu colo, parece que teve pena e, com simplicidade, abrindo a blusa, lhe disse: — Quer ver? — Ele quase morre de êxtase. Pálidos ambos, ela ainda repete: — Quer ver mais? — E mostra-lhe o outro seio branco, branco... E fechou calmamente a blusa. E prosseguiu cantando... Só isso. Durou alguns segundos, está durando uma eternidade."

Pág. 32

Biá: "Dona Laura parecia ter vergonha de sua beleza incontestável, que produzia um efeito forte e triunfante demais."

Liev Tolstói, *Guerra e paz*: "Hélène era tão bonita que não só não se percebia nela o menor traço de coquetismo como, ao contrário, ela parecia ter vergonha de sua beleza incontestável, que produzia um efeito forte e triunfante demais."

Pág. 32

Biá: "Ser bela é ofício que não deveria ter preço. Nem castigo."

Charles Baudelaire, "Confissão":

"Ser bela é ofício cujo preço se conhece,
É o espetáculo banal
Da bailarina louca e fria que fenece
Com um sorriso maquinal."

Pág. 32

Biá: "Deixem as rosas em paz! Como sabiamente decidiu o bispo de Digne, Monsenhor Bienvenu, de *Os miseráveis*, quando não permitiu que sua plantação de roseiras desse lugar a uma horta. O belo é tão útil quanto as coisas úteis, disse ele. As rosas ficam!"

Victor Hugo, *Os miseráveis*: "Uma vez, Mme. Magloire disse ao bispo de Digne com uma certa malícia:
— Excelência, o senhor, que costuma tirar proveito de tudo, olhe aqui um canteiro inútil. Seria mais proveitoso plantar saladas que cultivar flores.
— Mme. Magloire — respondeu o Bispo —, a senhora está muito enganada. O que é belo é tão útil como o que é simplesmente útil. — E acrescentou depois de uma pausa: — Talvez até mais."

Pág. 41

Biá: "Em minha arqueologia das palavras, busco, incessante, seus vestígios. Em momentos de graça, infrequentíssimos, poderei apanhá-los."

Adélia Prado, "Antes do nome":

"A palavra é disfarce de uma coisa mais grave, surda-muda,
foi inventada para ser calada.
Em momentos de graça, infrequentíssimos,
se poderá apanhá-la: um peixe vivo com a mão.
Puro susto e terror."

Pág. 41

Biá: "Sei que não passo de um catatauzinho em meio a galáxias de bolinha de gude, mas, se não posso ir voando, irei mancando."

Abu Hariri, citado por Sigmund Freud em *Além do princípio do prazer*: "Aquilo que não podemos alcançar voando, devemos alcançar mancando."

Catatau é um livro de **Paulo Leminski**, obra inovadora, uma experiência lúdica com a língua.

Galáxias é um livro experimental de **Haroldo de Campos**, um dos maiores nomes da poesia concreta brasileira.

Pág. 44

Biá: "Caso eu suplique que se ajoelhe e reze por mim, ela se recusará, e o que há de sinistro nela virá à tona."

James Joyce, *Ulisses*: "A tia acha que você matou a sua mãe — disse ele. — É por isso que ela não quer que eu me dê consigo. — Alguém a matou — disse Stephen lugubremente. — Você podia ter se ajoelhado, que diabo, Kinch, quando a sua mãe moribunda lhe pediu — disse Buck Mulligan. — Eu sou tão hiperbóreo quanto você. Mas pensar na sua mãe a suplicar no último suspiro para você se ajoelhar e rezar por ela. E você recusou. Há qualquer coisa de sinistro em si..."

Pág. 44
Biá: "Já não se trata de uma doença, nem de um acesso passageiro: a náusea sou eu."
Jean-Paul Sartre, *A náusea*: "[...] já não se trata de uma doença, nem de um acesso passageiro: a Náusea sou eu."

Pág. 45
Biá: "Ir ou não ir? Eis a questão."
William Shakespeare, *Hamlet*: "Ser ou não ser, eis a questão."

Pág. 45
Biá: "E você, menina Olívia, como me aguenta? Sabe que quem comanda a narração não é a voz, é o ouvido?"
Italo Calvino, *As cidades invisíveis*: "Quem comanda a narração não é a voz: é o ouvido."

Pág. 54
Biá: "A verdadeira mulher tem algo meio extraviado."
Jacques Lacan, *O Seminário, livro 5, As formações do inconsciente*: "Nas verdadeiras mulheres há sempre algo meio extraviado."

Pág. 56
Biá: "Um único minuto de reconciliação vale mais do que toda uma vida de amizade."
Gabriel García Márquez, *Cem anos de solidão*: "Um minuto de reconciliação tem mais mérito do que toda uma vida de amizade."

Pág. 68

Biá: "Posso imaginar seus olhinhos verdes faiscando. Posso imaginá-los se alargando para deixar sua alma partir, como quem se liberta da morte."
Nise da Silveira, "Improviso de Chopin":
"De repente ficavas estranhamente parado
Teus olhos se alargavam
Tuas sobrancelhas se arqueavam
para deixar tua alma partir"

Pág. 76

Biá: "Olívia, acredite com seus olhos verdes: só nos resta tocar um tango argentino."
Manuel Bandeira, "Pneumotórax":
"— O senhor tem uma escavação no pulmão esquerdo e o pulmão direito infiltrado.
— Então, doutor, não é possível tentar o pneumotórax?
— Não. A única coisa a fazer é tocar um tango argentino."

Pág. 78

Biá: "Você é o pai de minha filha, Teodoro. 'Te adoro' era como eu o chamava todas as manhãs ao acordá-lo."
Manuel Bandeira, "Neologismo":
"Inventei, por exemplo o verbo teadorar
Intransitivo;
Teadoro, Teadora."

Pág. 78

Biá: "Inebriado de sono, os olhos mal abertos, repetiu baixinho, para si mesmo, a frase que eu acabara de recitar: cê vai, ocê fique. Você nunca volte."
João Guimarães Rosa, "A terceira margem do rio": "Cê vai, ocê fique, você nunca volte!"

Pág. 81

Biá: "Luto. Todos os dias luto, Olívia, meu arco-íris. E essa luta de que saio esfarrapada é de todos os instantes."

Raul Brandão, *Húmus*: "E essa luta não é de uma hora, essa luta de que saio esfarrapada é de todos os instantes."

Pág. 83
Biá: "Tenho a sensação de que passeei pelo bosque e vi apenas lenha para fogueiras."
Liev Tolstoi: "Há quem passe pelo bosque e apenas veja lenha para a fogueira."

Pág. 83-84
Biá: "Se Ivan me perguntasse, eu não concordaria em torturar uma criança inocente para garantir a felicidade de toda a humanidade, lutaria por ela."
Ariel Dorfman, "As desculpas da tortura": "O seminarista Aliócha Karamázov se vê tentado por seu irmão Ivan e confrontado com um dilema intolerável. Suponhamos, diz Ivan, que para fazer os homens eternamente felizes fosse inevitável e essencial torturar durante uma infinidade de tempo uma pequena criatura, um menino que fosse, apenas um único. Você o consentiria?"

Pág. 163
Biá: "Não vem da morte minha aflição. A morte é mais leve do que uma pluma. Já a responsabilidade de viver é mais pesada do que uma montanha."
Provérbio japonês: "A morte é mais leve que uma pluma. A responsabilidade de viver é mais pesada que uma montanha."

Pág. 170
Biá: "Mas hoje, Teo, aqui no meu quarto, o seu amor por mim é só uma fotografia na parede."
Carlos Drummond de Andrade, "Confidência do itabirano":
"Itabira é apenas uma fotografia na parede.
Mas como dói!"

Pág. 204
Biá: "Assim como não fazer nada é, de incerto modo, já estar fazendo alguma coisa."

João Guimarães Rosa, *Grande sertão: veredas*: "Querer o bem com demais força, de incerto jeito, pode já estar sendo se querendo o mal, por principiar."

Outras citações

Pág. 105
Pai de Olívia: "Ouse, ouse tudo! Seja na vida o que você é, aconteça o que acontecer."
Lou Andreas-Salomé, *Minha vida*: "Ouse, ouse tudo! Seja na vida o que você é, aconteça o que acontecer."

Pág. 207
Teresa: "Sei voar e tenho as fibras tensas."
Caetano Veloso, "Peter Gast": "Sei voar e tenho as fibras tensas."

Agradecimentos

Ana e João, agradeço por sentir tanto amor por vocês. Prometo voltar a ouvi-los. Voltarei também a comprar comida e pasta de dente.

Zinho, não é fácil ficar ao lado de uma mulher com uma história agarrada no corpo, mas, com você, tudo se torna um movimento de amor. Essa mordida é nossa!

Obrigada, Irlanda, minha mãe, pelos olhos assustados em sua primeira leitura e o coração que tão bem me cabe.

Jeferson Pinto Machado e Gustavo Jardim, sem vocês, seria um desastre. Seja lá o que for agora, é bem melhor!

Vânia Moraes, obrigada pelas asas falantes que tecemos há tanto tempo.

Eliana Bhering, obrigada por tudo que temos amorosamente investigado.

Juliana Sampaio, Cristina Cortez, Marcia Lima, quero escrever um livro por dia só para dividir com vocês.

Alexandre Amaro, quantas horas boas um livro pode render! Eu as tive com você.

Liceane Dornfeld Braga, obrigada pelas rosas e por tanta inspiração.

Sara Souza, obrigada pelo olhar atento.

Simone Pessoa, Juliana Duarte, Elisa Mendes, Simone Moreira, Gustavo Grossi de Lacerda, Nísia Werneck, Renata Pereira, obrigada por serem tão importantes.

Obrigada, Dr. Salvador, por me dizer: escreva, não pare, escreva!

Daniel de Jesus, obrigada pela capa-olhar que tanto me faz ver.

Rodrigo Lacerda, Duda Costa, meus editores, obrigada por estarem tão juntos de mim durante toda a jornada.

Obrigada, Ulisses Carneiro, meu pai, por eternizar *Os miseráveis* dentro de mim, Antônio Sergio Bueno, que me fez ir muito além das margens dos rios, Pedro Vieira, que me revelou os seios de Duília, e a todos os escritores que me ajudaram a contar esta história.